Collection folio junior

dirigée par
Jean-Olivier Héron
et Pierre Marchand

Stefan Wul est le pseudonyme de Pierre Pairault. Né à Paris le 27 mars 1922, il commence à écrire dès l'enfance. Contraint d'entreprendre des « études sérieuses », il s'oriente à dix-huit ans vers la chirurgie dentaire.
Établi en 1956 à quatre-vingts kilomètres de Paris, le virus de la science-fiction le saisit. Écrivant le matin, exerçant sa profession de dentiste l'après-midi, il publie, en moins de quatre ans, onze romans qu'il signe Stefan Wul. L'un d'eux, *Niourk,* a déjà été publié dans la collection Folio Junior. Un autre, *Oms en série,* a servi de scénario à un grand film d'animation : *La Planète sauvage.*

Gilbert Maurel est né à Nice en 1950. Il a travaillé dans la publicité et a illustré plusieurs livres de mer dans la collection Voiles chez Gallimard, ainsi que plusieurs ouvrages dans la collection Folio Junior. Il habite La Rochelle où il a créé un atelier de bandes dessinées et où il imagine de superbes expositions pour le Musée maritime. Il lui arrive aussi de partir pendant plusieurs mois travailler sur des plates-formes pétrolières, le plus souvent dans le golfe Persique. Mais tout ceci ne l'empêche pas de passer la moitié de son temps à naviguer !

Stefan Wul

Retour à « 0 »

Illustrations de Gilbert Maurel

Gallimard

1

Le juge se leva. Sa robe de lamé pourpre le faisait paraître plus grand que nature. Il lâcha les accoudoirs de son fauteuil de plasticor et tendit la main vers un assesseur. Le large pectoral décoré aux armes de la justice terrienne scintilla sur sa poitrine. L'assesseur lui tendit une feuille. Le juge s'en saisit et lut d'une voix grave :

– Attendu que le citoyen Jâ Benal est à l'origine de la catastrophe qui anéantit le quart de la cité de Lepolvi ; attendu que ses négligences de service ont motivé cette catastrophe qui a coûté la vie à des milliers d'hommes ; attendu qu'il ne bénéficie d'aucune circonstance atténuante,

« Par ces motifs, nous, Juge Suprême de la Haute Cour Mondiale, condamnons le citoyen Jâ Benal à la peine capitale.

Au banc des accusés, Jâ Benal s'étonna de ne ressentir aucune émotion particulière. Il soutint un instant le regard du juge, et jeta les yeux sur la salle.

La foule bariolée restait muette. Jâ Benal distingua des visages hostiles, d'autres effrayés. Une tache rose attira son attention. C'était la tunique d'une jeune femme au premier rang des spectateurs. Benal regarda mieux. La femme, très jolie, avait le teint pâle et les yeux pleins de larmes. Benal lui sourit. La femme baissa les paupières ; un tic nerveux lui tiraillait la lèvre inférieure.

Une main ferme se posa sur le bras du condamné. Il se tourna vers le garde aux traits inexpressifs. Celui-ci lui fit un signe de tête l'invitant à le suivre. Benal se laissa emmener. En passant devant la foule, il entendit une voix murmurer :

– Assassin !

En arrivant devant la jeune femme qui avait paru le prendre en pitié, il s'arrêta fermement, malgré les menottes magnétiques du garde, et celui-ci trébucha. Un sourire effleura les lèvres de Benal :

– Vous permettez ? dit-il au garde.

Il inclina la tête vers la jeune femme, leurs regards s'étreignirent.

– J'aurais aimé vous connaître avant, dit Benal.

Il attendit un moment et ajouta :

– Merci !

Il fit signe au garde qu'il était prêt. Malgré la longue tunique jaune serrée à la taille, tenue des prisonniers, malgré l'éclat fauve de la cuirasse du garde et son allure militaire, Benal paraissait commander. Le garde semblait marcher devant lui pour lui faire honneur. Ils s'engagèrent ensemble dans le long couloir menant aux cellules. Enfin, le garde s'arrêta devant une porte. Il tira de sa poche une clémettrice et en toucha la serrure (qui n'était qu'un petit cercle jaune paraissant peint sur le chambranle métallique). On entendit un déclic. Le panneau glissa, s'escamotant dans le mur. Le garde débrancha les menottes magnétiques et laissa entrer Benal ; puis il toucha la serrure jaune avec l'autre extrémité du petit tube brillant qui avait nom « clémettrice » : le panneau se referma et nulle force humaine n'aurait pu le remuer d'un millimètre.

Le dos à la porte, Benal entendit décroître les pas du garde dans le couloir. Une lueur de malice passa dans ses yeux.

– Après un choc pareil, dit-il à haute voix, j'ai bien droit à un Drinil, non ?

A pas tranquilles, il alla se poster devant une espèce de guichet grillagé sur la gauche et appuya une main à la grille, laissant tambouriner nerveusement ses doigts. Au bout d'un instant, une petite lampe s'alluma au-dessus du guichet. Il souleva la grille et s'empara d'un petit gobelet en disant :

– Ajoutez ça sur ma note, patron.

Il pensa presque simultanément : « Allons bon, je me permets des plaisanteries indignes de moi, je ne suis pas en forme, ça m'a quand même secoué. »

Il alla s'asseoir dans un fauteuil et avala d'un trait le liquide bleu clair contenu dans le gobelet. Il ferma les yeux un instant, puis son visage se détendit, empreint d'une grande sérénité.

– Rien de tel qu'un petit verre, murmura-t-il.

Il sentait une douce quiétude envahir ses nerfs jusqu'à la moindre cellule.

Il repensa à l'incroyable aventure qui l'avait amené là. Directeur des laboratoires de recherches atomiques situés à quelques kilomètres de Lepolvi, il s'était absenté au milieu d'expériences capitales pour aller à Staleve, capitale africaine, voir sa mère malade. Le lendemain de son départ, il avait appris l'explosion par les journaux. On l'avait arrêté immédiatement pour abandon de poste. Telle était la version officielle.

Quant à la vérité... Jâ Benal avait trouvé sa mère à peine indisposée et se portant relativement bien pour ses cent soixante-dix ans. Mais le médecin qui se trouvait à son chevet avait attiré le jeune homme dans une pièce voisine.

– Vous avez sans doute compris que la maladie de votre mère était un prétexte pour vous amener ici, dit-il.

– Je ne saisis pas, avait avoué Jâ Benal.

– Je me présente : capitaine Lero, attaché au bureau de contre-espionnage. Nous avons besoin de vous.

– Voyons, capitaine, je suis un savant. Je ne connais rien à vos...

– Justement ! Asseyons-nous et procédons par ordre. Vos laboratoires vont sauter pendant votre absence...

Jâ Benal eut un sursaut et le faux médecin le calma d'un geste.

– Ne vous inquiétez pas, tout est prévu. Le résultat de vos recherches est d'ores et déjà en sûreté. Vos travaux ne sont pas anéantis. Ne m'interrompez plus. Je poursuis : le quart sud-ouest de Lepolvi va être anéanti par cette explosion. De vieux immeubles datant de l'année 2300 classés comme insalubres et dont la destruction était prévue depuis longtemps. Il n'y aura pas de victimes. Mais tout est agencé pour que le monde entier croie à une catastrophe meurtrière dont vous serez l'unique responsable. Vous serez jugé et condamné à la peine capitale. Vous savez où l'on vous enverra. A cet instant commencera votre vrai travail, votre travail d'espion. La population lunaire, uniquement constituée par les condamnés qui y sont envoyés depuis deux cents ans...

– Permettez, coupa Jâ Benal, vous allez trop vite pour moi. La population lunaire ? Qu'est-ce que c'est que cette histoire ? La Lune est déserte, les conditions de vie y sont impossibles...

– Difficiles seulement ! Nous avons des raisons

de croire qu'un bon nombre de condamnés ont réussi non seulement à y survivre, mais à y faire souche, à y travailler, à y fonder une civilisation qui menace actuellement la nôtre.

« L'idée d'exploiter notre satellite, qui a bercé nos ancêtres pendant des siècles, s'est avérée irréalisable ou du moins sans intérêt pratique ; la Lune nous sert de dépotoir. Nous y envoyons ceux qui sont indésirables sur Terre, depuis que la peine de mort a été abolie. Or, ce que nous avons négligé, ceux-là l'ont réalisé. Ils ont fait de la Lune une puissance plus terrible pour nous que Mars, qui peut seulement nous envoyer quelques projectiles mal dirigés tous les deux ans. Les Lunaires sont d'origine terrienne, ils ont tous des raisons de nous en vouloir, puisque proscrits ou descendants de proscrits. Ils se sont bien gardés de donner signe de vie, mais nous savons de source sûre qu'une invasion est projetée pour dans cinq ans.

– Bon sang, dit Jâ Benal, nous n'avons qu'à les pulvériser avant.

– D'accord ! C'est pourquoi nous avons besoin de renseignements que vous allez nous fournir. Une attaque préventive sans précision se solderait par un échec et provoquerait peut-être une riposte dangereuse. Ils sont très, très forts. Le forçat évadé qui nous a prévenus est mort avant de pouvoir nous apprendre grand-chose. Voilà la punition de notre orgueil. Nous n'avons pas remis les pieds sur la Lune depuis deux siècles. Nous avons tourné pratiquement le dos à l'espace pour nous consacrer à la Terre. Nous avons supposé que les condamnés mèneraient là-haut une vie misérable et sans espoir et nous les avons laissés sans surveillance. La dureté de leur vie leur a donné une énergie renforcée par la haine. Peut-être sont-ils plus forts que nous.

– Tout de même !

– Si ! Nous avons commis l'imprudence de leur envoyer des criminels de guerre après le conflit de 2128. Parmi eux se trouvaient des savants qui ont peut-être fait progresser la science dans des proportions considérables. Et il est beaucoup plus facile d'attaquer la Terre de la Lune, que la Lune de la Terre.

– Je me demande si je ne deviens pas fou.

Le capitaine Lero posa amicalement la main sur l'épaule de Benal.

– Nous avons besoin de vous. Nous devons envoyer là-bas un homme condamné pour une faute ayant toutes les apparences de la réalité. Votre réputation de savant vous fera accueillir avec enthousiasme. Recrue de choix. Vous serez certainement bien placé pour voir beaucoup de choses... Est-ce oui ?

Jâ Benal inclina la tête.

– Laissez les événements se dérouler tout seuls, laissez-vous juger et condamner. Vous recevrez d'autres instructions plus tard.

Benal remâcha les détails de son arrestation, son déshonneur, son humiliation devant la foule. Un seul souvenir brillait en lui d'une flamme réconfortante : la sympathie de cette jolie femme du premier rang. Dans son regard apitoyé, il avait décelé quelque chose que nulle autre, dans sa vie de beau garçon, ne lui avait montré. Irrésistiblement, il avait fallu qu'il s'arrête, qu'il lui parle, comme on se raccroche à une dernière branche.

Il se secoua et quitta son fauteuil. Il considéra les murs de sa cellule et pensa qu'il avait encore de la chance de n'être pas né au XXe siècle. Il se rappela un ouvrage historique décrivant des prisons infectes, sans aucun autre objet dans les cellules qu'un bat-flanc, un pot d'eau et un morceau de pain.

Il décida de prendre une douche et se dévêtit. Il entra dans la minuscule cabine et poussa doucement la manette. L'eau tiède ruissela sur son corps bien bâti de jeune homme. Il poussa la manette un peu plus loin, guettant le goût de l'eau sur ses lèvres. L'eau douce fut peu à peu remplacée par l'eau de mer ; la teneur en iode et en sel s'accentua, vivifiant ses muscles. Il poussa encore un peu : l'eau redevint insipide, puis de plus en plus froide, puis fit place à un jet puissant d'air chaud ozonisé qui le sécha en un clin d'œil.

Il s'observa dans le grand miroir qui constituait la porte de la cabine : un mètre quatre-vingt-huit, un peu maigre peut-être, mais des épaules larges, des membres nerveux ; un visage sympathique au menton carré, aux lèvres un peu fortes, des yeux moqueurs, des cheveux châtains à peine ondulés au-dessus des oreilles. Il s'adressa la parole :

– Eh bien, Jâ, voilà ce qu'ils ont fait de toi, un criminel. Tu avais pourtant l'avenir devant toi. Chef de centre de recherches à cinquante-cinq ans ! Un sujet d'élite ! Ira très loin, ce jeune homme ! (Il soupira en grommelant.) J'irai loin, en effet. Tiens, je vais dormir.

2

Il lui sembla qu'il venait à peine de fermer l'œil quand une sonnerie le tira de son sommeil.

– Oui ? fit-il.

Une voix venue de nulle part parla dans la pièce.

– Jâ Benal, une visite pour vous.

Il s'habilla en hâte et attendit quelques minutes. Au bout d'un instant, l'un des murs de la cellule devint progressivement nuageux, diaphane, transparent. Jâ Benal sourit en reconnaissant de l'autre côté de la paroi de verre le visage d'un ami.

– Salut, Bôd, je suis content de te voir.

– Bonjour, Jâ, dit le visiteur, un garçon blond à la fine moustache de paille.

– Je ne veux pas te faire de peine, mais tu fais une drôle de tête.

Bôd baissa les yeux.

– Tu ne trouves pas qu'il y a de quoi ?

Jâ sauta sur ses pieds.

– Enfin quoi, cria-t-il, si tu es venu pour dire des choses tristes !

Bôd sourit.

– Ton sang arabe est toujours aussi facilement en ébullition, je vois.

– Tu me tannes avec tes Arabes !

– Mais si, je t'assure, Benal est une évolution francisée de Ben Ali.

– Si tu es venu me faire un cours de langues mortes, tu pouvais rester.

– Excuse-moi, mon vieux. Tout ce que je te

raconte n'a rien à voir avec les circonstances ; c'est parce que je ne sais pas quoi dire.

– Ne t'en fais donc pas pour moi, dit Jâ Benal, ému, j'ai toujours eu envie de voir la Lune de près. Ce n'est pas si terrible.

– Tu vas me manquer, Jâ.

– Toi aussi, mon vieux, bien sûr !

– Tu sais, je ne considère pas comme coupable un homme qui va au chevet de sa mère malade.

– Merci, Bôd, merci. Mais il ne faut pas dire ça. Je suis coupable.

La sonnerie retentit de nouveau. Bôd se leva et regarda intensément le visage de son ami. Il appuya la main sur la paroi de verre. Jâ fit de même, paume contre paume. Bôd tourna brusquement la tête et sortit très vite.

La voix impersonnelle annonça :

– Jâ Benal, une deuxième visite pour vous.

Presque aussitôt la jeune femme en tunique rose apparut derrière la vitre.

– Vous ? dit Benal surpris.

– Vous ne me reconnaissez pas ? demanda la jeune femme.

– Si, bien sûr, vous étiez à l'audience.

– Ce n'est pas ce que je veux dire. Nous nous sommes déjà vus avant... avant cela.

Benal fit un effort pour se souvenir.

– Il y a dix ans, vous étiez mon professeur de mathématiques à Staleve, dit la jeune femme. J'étais encore une enfant, je n'avais pas trente ans. Vous rappelez-vous une petite fille haute comme ça, seulement licenciée ès sciences ? Je ne mordais pas aux mathématiques, mais vous m'avez encouragée. Un jour, après le cours, vous m'avez expliqué la dérivée logarithmique de la fonction B.

– Bon sang ! Flore, n'est-ce pas ?

– C'est ça, Flore Steval, sourit-elle.

– Bon sang, répéta Jâ Benal en ouvrant de grands yeux, mais... mais vous êtes superbe.

– Je n'ai jamais été particulièrement laide.

– Je veux dire : vous êtes une très jolie femme.

– N'en jetez plus, Jâ. (Elle baissa les yeux.) Je ne vous ai jamais oublié. Vous étiez mon héros de petite fille. (Elle hésita.) Je n'ai jamais changé d'avis, même maintenant.

– Vous allez me faire rougir, Flore. Croyez-moi (Jâ se força à sourire), j'ai été trop gâté par la vie, ça m'a mis la tête à l'envers et voyez où j'en suis. Votre admiration était mal placée, Flore.

« Nom d'un chien, pensa-t-il, dire qu'une chose pareille m'arrive maintenant que... »

– Je ne vous considère absolument pas comme un criminel, Jâ... Je connais toute l'histoire, vous savez.

Benal eut un air ahuri.

– Toute l'histoire, balbutia-t-il, mais...

– Vous êtes un héros d'avoir accepté ça, vous avez encore grandi dans mon estime... Vous n'avez pas remarqué que depuis cinq minutes la vitre a disparu, dit-elle en faisant un pas à l'intérieur de la cellule ; on a des attentions pour moi. Je suis l'agent spécial chargé de vous donner vos dernières instructions.

Elle se trouva tout près de Jâ Benal, qui la prit dans ses bras.

Le reporter murmura dans son micro :

– Nous sommes dans le long couloir qui mène de la prison centrale à l'échafaud. Dans quelques minutes, citoyens, la porte du fond va s'ouvrir et le condamné va paraître, revêtu du scaphandre jaune. En ce moment, derrière cette porte, l'ingénieur-bourreau est en train de vérifier l'étanchéité du scaphandre... Ah ! Voilà la cloche ! La porte s'ouvre, voilà l'homme, regardez-le, voilà l'homme dont la négligence a provoqué la mort de ses concitoyens.

Sur toute la Terre, des millions d'écrans reproduisaient la scène. Le reporter continua :

– Encadré de deux gardes, suivi du bourreau tenant à la main le casque transparent qu'il va tout à l'heure lui visser sur les épaules, voilà le condamné. Il marche à pas comptés, il vient vers nous. La cloche grave de la peine capitale rythme sa marche, tous les deux pas. L'homme est pâle. Il avance toujours. Il lui reste environ cinquante mètres à parcourir pour arriver au tube de lancement, vers l'enfer lunaire.... quarante mètres... la cloche sonne toujours, trente mètres... vingt... Suivi du bourreau, il grimpe l'échelle métallique, on ne voit plus que les jambes du scaphandre. On ne verra plus jamais le visage de cet homme banni de la Terre.

Jâ Benal entra dans la cabine et se tourna vers le bourreau. Celui-ci s'apprêtait à lui poser son casque. Jâ Benal l'arrêta du geste.

– Dites-moi franchement : j'ai combien de chances d'y rester ?

– Trente pour cent, en principe, dit le bourreau. Mais d'après le rapport du médecin, vous avez un organisme exceptionnel. Je pense que vous arriverez vivant.

– C'est la phrase que vous dites à tout le monde, hein ?

Le bourreau haussa les épaules, plaça le casque et commença à serrer les boulons.

– Adieu, dit Jâ derrière la vitre.

Sa voix résonna comme du fond d'une boîte.

– Serrez les bras et les jambes, cria le bourreau.

Jâ obéit, les bras du scaphandre s'encastrèrent exactement dans les dépressions latérales du torse cylindrique, les jambes se collèrent étroitement l'une à l'autre. L'ensemble prit une forme vaguement ovoïde. Jâ essaya un peu d'écarter un bras, mais c'était impossible, un puissant magnétisme solidarisait l'ensemble.

– Tout est réglé pour que vous retrouviez votre mobilité dans trois jours, cria encore le bourreau.

Puis il sortit sans se retourner et la porte claqua derrière lui. Jâ se trouva seul dans la cabine dans le noir absolu. Son cœur battait. Une sueur glacée lui coulait dans le dos. Un sifflement se fit entendre. « Ils aspirent l'air autour de moi, pensa Jâ. » Il attendit. Au bout d'un moment, il se sentit doucement soulevé. Le plancher montait peut-être depuis quelques minutes, d'une façon si graduée qu'il ne s'en était pas aperçu. Il décela un léger chuintement tout autour de lui. « Je suis déjà dans le tube, pensa-t-il, les parois frottent sur le scaphandre. » Il monta plus vite, à la vitesse d'un ascenseur. Puis encore plus vite. Il eut une nausée. Il lutta pour ne pas s'évanouir, se raccrocha à la petite lueur de conscience qui lui restait et qui lui disait : « C'est la fin. » Et ce fut la nuit.

MG

3

Quand il reprit conscience, il se vit entouré d'un halo blanchâtre. Il voulut remuer, mais ses membres ne purent effectuer que des mouvements de très faible amplitude à l'intérieur du scaphandre. Les souvenirs lui revenant brusquement, il comprit que le halo était dû à la condensation qui avait recouvert l'intérieur du casque d'une couche de glace. Il inclina la tête en arrière et appuya fortement sa nuque sur le bouton placé derrière lui, pour mettre en marche le dégivreur. La glace se mit à fondre et l'eau lui coula désagréablement dans le cou.

Petit à petit, la vitre redevint transparente et il fut captivé par le spectacle. A ses pieds, il vit la Terre, comme un énorme ballon emplissant presque tout l'espace. Il eut l'impression de pouvoir la toucher en avançant la main. Il renversa la tête en arrière pour apercevoir la Lune et devina une masse bleuâtre, frangée d'un croissant d'une luminosité intense, au milieu d'un amoncellement d'étoiles larges comme des soucoupes.

Il reporta son attention sur lui-même. Il entendait un bruissement continu, comme si son scaphandre était extérieurement passé à la toile émeri par la poussière cosmique. Il ne pouvait pas distinguer les flammes jaillissant des tuyères placées sous ses talons, mais une légère vibration lui remontait tout le long des jambes. A part le malaise de ne pouvoir remuer, il se sentait parfaitement bien, un peu comme dans un lit.

Il eut faim et, tournant la tête de côté, prit dans sa bouche l'extrémité d'un tube de plastique ; il aspira trois pilules nutritives surconcentrées. Il les avala facilement en aspirant un peu de Drinil par un autre tube. Le bien-être l'envahit.

Captivé par l'aventure, il oublia momentanément sa mère, son ami Bôd, Flore et la Terre. Il chantonna pour lui tout seul. Le plus dur était passé. Dans à peu près vingt-quatre heures il arriverait sur la Lune. Cette perspective le souleva d'enthousiasme, réveilla en lui l'atmosphère des jeux de son enfance. Il avait toujours secrètement regretté que le gouvernement de la Terre ait remis à des siècles plus tard une exploitation raisonnée du satellite. Il avait dévoré les rapports de la petite centaine d'hommes ayant pris pied sur cette planète à l'époque de l'exploration. Et voici que le hasard (ou la chance) l'envoyait là. Il se rappela une chanson qui courait les rues quand il avait vingt ans : « Conquistador de l'Espace ». Il la hurla à pleins poumons, d'une voix abominablement fausse. Une fièvre l'envahit, il sentait ses oreilles devenir chaudes et comprit que son régulateur d'oxygène était détraqué. A cet instant, il vit autour de lui un tourbillon de planètes, Terre, Lune, étoiles, Terre, Lune... Sa tête dodelina et heurta fortement la cloison transparente de quintuplex. Il resta hébété plusieurs minutes et sentit peu à peu son état normal revenir. Et brusquement, il eut très peur. La Lune, aussi grosse que la Terre, à présent, se trouvait sur sa gauche ; la Terre à droite. Sa course était déviée. Son tournoiement de tout à l'heure devait être dû au passage brutal de météorites qui avaient influencé sa trajectoire. Ce malheur était néanmoins heureux dans un sens, son régulateur d'oxygène paraissait redevenu normal.

Après de longues heures d'angoisse, il constata que la Terre et la Lune paraissaient rapetisser. Son angoisse s'accrut. Il lutta pour garder les yeux ouverts, mais la fatigue l'emporta, et il sombra dans un profond sommeil.

Au bout d'un temps indéterminé, un violent mal de tête le réveilla. Il ouvrit les yeux et les referma aussitôt devant la lumière crue et insupportable. Avec ses dents, il tira le cordon placé à dix centimètres de son menton. Le quintuplex du casque se teinta de vert et il put ouvrir les yeux sans larmoyer. La face éblouissante de la Lune était devant lui, avec ses cirques, ses cratères, ses craquelures. Il se demanda comment il avait pu s'en rapprocher alors qu'il s'en éloignait encore au moment où il s'était endormi. Plusieurs explications étaient plausibles : passage d'autres météorites ayant redressé la situation ? Dérèglement providentiel du parallélisme des tuyères ?...

Une vive démangeaison au bout du nez l'agaça. Instinctivement, il leva la main pour se gratter et frotta sottement le casque vitré avec le polyaimant qui terminait le bras gauche du scaphandre. Quand il s'aperçut de son geste inutile, il éclata de rire et se frotta vigoureusement le nez contre la vitre. Et soudain, il comprit...

Il avait pu remuer un bras... La force magnétique avait cessé d'emprisonner ses membres pendant son sommeil. Le bourreau lui avait dit qu'elle était réglée pour trois jours ; était-il possible que tant de temps soit déjà écoulé ? Il ne possédait aucun moyen de le vérifier. Le parallélisme des tuyères ! En effet ! Il avait dormi Dieu sait combien de temps, les membres écartés au hasard. Encore une chance qu'il ne se soit pas retrouvé dans la voie lactée ! Et maintenant, il s'agissait d'alunir. Jâ craignait fort, d'après sa position, d'avoir été satellisé par le satellite, car il ne se trouvait plus entre Lune et Terre. Il était sur la face de la Lune qui reste toujours invisible aux Terriens. Cette position ne pouvait s'expliquer que par un vaste mouvement tournant.

Jâ réfléchit un instant. Membres écartés dans le vide, il semblait planer. Puis il ramena doucement ses jambes devant lui, à angle droit avec son corps. Cette position lui fit faire trois rapides sauts périlleux qui lui donnèrent le vertige. Il s'empressa de reprendre une position allongée et décida d'agir plus prudemment. Il recommença la manœuvre. Étendant les bras, il s'inclina légèrement en avant, son torse formant un angle obtus avec ses cuisses. Il pivota doucement et se retrouva la tête la première en position de plongée vers la planète. Les tuyères réussissaient à vaincre lentement la force centrifuge.

Se retenant de bouger pendant de longues heures, il vit peu à peu les détails de la Lune se préciser. Puis il eut la sensation d'un arrêt. Le cirque grandiose qu'il avait pris comme point de repère dérivait très lentement vers la gauche, mais Jâ ne se rapprochait absolument plus du satellite. Il regarda ses pieds avec précautions et s'aperçut que les tuyères ne donnaient plus.

4

Au poste d'observation de Desperado, le fonctionnaire lunaire observa un minuscule point brillant sur son écran-radar. Il le centra au milieu, à l'intersection des deux lignes en croix et tourna une manette pour rapprocher la vision. Il regarda quelques instants et parla dans le micro attaché à son torse.

– Ici Desperado, ici Desperado. Un condamné nous arrive, toute énergie épuisée. Situation : 47-22-1200. Direction : 50-25. Vitesse : trois kilomètres-seconde. Dois-je le capter ?

Une voix nasilla dans ses écouteurs :

– Laissez-le se débrouiller, c'est Jâ Benal, un savant atomiste. Nous étions prévenus de sa condamnation par nos agents. Quel est le point de chute probable ?

– Un instant, dit le fonctionnaire.

Il appuya sur un bouton, quelques lampes s'allumèrent et trois cartes perforées tombèrent dans un tiroir. Il s'en empara et les glissa dans trois fentes différentes d'un bloc hérissé de compteurs et de rhéostats. Il tira une poignée : la machine ronronna un instant et cracha par une ouverture une feuille imprimée.

Le fonctionnaire la ramassa et lut :

« Point de chute : flanc nord du Mont Circé, dans sept heures dix minutes quarante-cinq secondes. (Il ricana.) Je lui souhaite bien du plaisir, il va tourner en spirale de plus en plus rapidement et touchera la surface après dix tours de planète à toute vitesse. Il faudra qu'il soit débrouillard pour s'en tirer. Il a tout de même de la chance pour son point de chute. Le Mont Circé est spongieux, je crois. »

Il hésita un instant et poursuivit :

– Dites, chef. J'ai entendu parler de ce Jâ Benal. C'est quelqu'un ! Une fameuse recrue ! Il faudrait peut-être le capter. Même un surhomme n'aurait aucune chance, c'est plein de gôrs par là-bas !

– Pas question. C'est une règle absolue. Tout arrivant doit se débrouiller par ses propres moyens pendant quinze jours terrestres. Les plus faibles y restent, les autres passent au travers. C'est pourquoi nous sommes les survivants d'une sélection naturelle, la future élite de cette grosse Terre encombrée par le poids mort de ses bouches inutiles. J'avoue que, même pour nous, il serait bien difficile de survivre quinze jours dans cet enfer de Circé. Le sort lui a peut-être réservé l'endroit le plus affreux de la Lune pour en faire un héros ; s'il s'en tire, il sera très haut placé, surtout comme savant, mais je doute qu'il puisse résister aux gôrs. Je vais quand même en référer au Conseil.

Jâ Benal voyait défiler sous lui les paysages fantastiques dont il avait tant entendu parler. « Tu es content, se dit-il, la voilà, ta Lune. Tu as tout le temps de la regarder maintenant, profites-en car dans six mois tu n'auras plus rien à manger ni à boire. Tu mourras d'inanition en continuant à décrire des cercles idiots autour de ce caillou antipathique. Il est vrai que la folie te prendra avant. »

Malgré son inquiétude, au début, il s'était passionné pour le spectacle. Maintenant, désespéré, il aurait bien voulu rentrer à la maison. Il lui sembla qu'il allait plus vite, il approchait d'une zone de nuit. Un froid pénétrant le torturait, quoiqu'il eût poussé son autochauffage au maximum. Il aspira quelques pilules nutritives et but un peu de Drinil pour se donner des forces.

Bientôt, il fut plongé dans le noir absolu. Il supprima le tamisage antisolaire de son casque, mais ne vit pas mieux pour cela. Il alluma son phare pour distinguer au moins ses bras étendus devant lui, pour se raccrocher à un contact visuel quelconque. Mais il était trop loin de la Lune pour que la lumière éclairât rien d'autre. Il éteignit bientôt pour essayer de ne penser à rien et se résigna à l'attente. Loin, très loin sur les côtés, des étoiles semblaient des yeux inhumains guettant sa fin prochaine.

Après un temps interminable, coupé de somnolence et de cauchemars, il vit la Terre se lever dans un halo bleuâtre. Cette vue le réconforta. Bientôt il la vit tout entière. Avec passion, il regarda un point précis sur l'immense mappemonde : « Staleve ! pensa-t-il. Là est ma mère, là sont mes amis. » Puis il se souvint que, pour la plupart des hommes de la Terre, il était un criminel. Ceci lui sembla d'une injustice affreuse et, toutes ces émotions l'ayant moralement épuisé, il eut envie de pleurer comme un enfant.

Le clair de Terre inondait le satellite d'une lumière très suffisante pour qu'il pût distinguer les reliefs du sol. Et il s'effraya de constater que sa vitesse s'était accrue dans des proportions incroyables. Il comprit qu'il irait plus vite, toujours plus vite autour de la Lune tout en s'en rapprochant et que le choc final le pulvériserait, car il n'avait aucun moyen de freiner sa chute, ses tuyères ne donnant plus. Tout compte fait, cela était peut-être préférable à une mort affreuse dans ce cercueil ambulant qu'allait devenir le scaphandre.

Combien de fois fit-il le tour de la Lune ? Combien de fois passa-t-il, en cercles infernaux, de la température accablante de la face exposée au Soleil, au froid rigoureux de la nuit ? Il n'aurait su le dire. Et maintenant, il tombait : il tombait debout, pieds en avant, entraîné par le poids des tuyères inutiles ; il voyait le sol se rapprocher, encore, encore. Cette Lune qui, de la Terre, paraît à peu près lisse, lui offrait une vision dantesque, avec ses pics, ses ravins, ses failles profondes. Du haut de l'espace, il était précipité droit sur une énorme montagne d'une blancheur aveuglante, au sommet incroyablement effilé et légèrement incliné, comme un bonnet de nuit, dans le ciel d'un noir d'encre.

Et brusquement, le désespoir lui donna une idée ; il écarta les jambes et frappa violemment ses talons l'un contre l'autre. Le miracle attendu eut lieu. Un maigre morceau de cuivre bloqué dans le moteur par l'oxygénation, descendit de quelques centimètres et la tuyère droite cracha une longue flamme rouge. Une dure secousse ébranla le scaphandre, mais la chute ralentit. Jâ se maudit d'avoir eu son idée trop tard. Le sol approchait à vue d'œil et la vitesse était encore considérable. Au bout de deux longues minutes, la tuyère s'éteignit. Jâ eut beau renouveler son geste, lancer des ruades frénétiques, le moteur n'eut pas une réaction.

Alors, il se cambra en arrière pour voir la Terre une dernière fois au-dessus de lui.

5

Le choc attendu fut à peine sensible. Un fracas assourdissant environna Jâ, comme s'il crevait des milliers de cerceaux en papier placés les uns derrière les autres. Le bruit d'eau qui bout multiplié par un milliard. La chute continua pendant une bonne minute dans une obscurité totale. Enfin le bruit diminua d'intensité, puis tout s'arrêta.

Jâ se demanda un instant s'il était mort, si c'était cela : la mort. Enfin, quoi ! Il s'était vu arriver comme la foudre sur le flanc d'une montagne. Ensuite ce vacarme effrayant, et puis, maintenant, cette tranquillité.

Il tâta prudemment autour de lui et perçut le contact d'une masse élastique qui l'environnait. Il pensa brusquement à son phare et s'empressa de l'allumer. Devant le spectacle brusquement apparu, une pensée comique l'assaillit : « Je suis dans un fromage de gruyère. »

Entièrement plongé dans un corps criblé de bulles allant de la taille d'un petit pois à celle d'un ballon de football, son idée était assez juste, dans sa stupidité. Allongé sur le dos, il essaya de s'asseoir et retomba en arrière, retenu de toute part par l'élasticité de cette matière poreuse. Il resta couché un instant et fut secoué d'un rire silencieux qui fit tout trembloter autour de lui. Ses nerfs épuisés le lâchèrent et son rire augmenta jusqu'à la souffrance tandis qu'il se répétait : « C'est très confortable, un fromage de gruyère. » Ses hoquets secouaient spasmodiquement des étages de bulles.

Enfin, il se calma et fit sortir une lame coupante de son gantelet droit. Il tailla assez largement les alentours pour se mettre debout et remonta lentement dans le puits grossier qu'il pratiquait au-dessus de lui. Il sourit encore en pensant au gruyère et se dit que le terme « éponge » eût été plus juste, une éponge très légère et très molle.

Il chercha son chemin en repérant les endroits déchirés par sa chute. La tâche était difficile, car cette immense éponge avait immédiatement refermé ses plaies derrière lui. De plus, cette difficile ascension le fatiguait énormément. Utilisant les bulles comme des marches d'escalier, il s'agaçait d'y enfoncer à mi-jambe et de perdre les neuf-dixièmes de ses efforts à tasser derrière lui les débris coupés. Il montait à peine d'un mètre tous les quarts d'heure.

Au bout d'un moment, il s'arrêta. Se laissant aller en arrière, appuyé au mur plastique et confortable, il absorba un peu de Drinil et décida de se reposer.

Après plus de trois jours de solitude dans l'espace, après des moments d'une angoisse insupportable, il se sentait en parfaite sécurité. Sa dangereuse mission lui paraissait facile. Et cet étroit entourage de matière tangible, quoique inconnue, constituait un antidote moral parfait à la nausée du vide qu'il avait pris en horreur pendant le voyage. Il avait l'impression de se trouver dans une chambre familière et rassurante. Le sommeil le surprit.

Un vieillard grand et sec au visage tourmenté de rides, était allongé sur une espèce de hamac transparent, dans un angle de la pièce. Ses membres nus étaient étayés par de minces barres métalliques qui s'articulaient parfaitement à toutes les jointures comme des tuteurs soutiennent le tronc d'un jeune arbre. Une tunique jaune d'or cachait son torse et ses reins.

Le son discret d'un gong se fit entendre. Le vieillard se redressa lentement et fixa un point du mur opposé. Le mur parut quelques instants frémir comme une toile et l'image d'un homme apparut comme sur un écran. L'homme s'inclina et attendit. Il paraissait à peu près nu sous un maillot collant et diaphane comme un bas, qui l'enveloppait depuis sa tête rasée jusqu'à ses pieds surélevés par de bizarres cothurnes. Un simple triangle d'étoffe rouge marquait son ventre.

– Eh bien? demanda le vieillard.

– Ancêtre vénéré, dit l'homme en s'inclinant de nouveau. Nos observateurs nous signalent l'arrivée de Jâ Benal. Il est tombé sur le Mont Circé.

– Alors ?

– Étant donné la valeur exceptionnelle de ce savant, le Conseil a voté une motion projetant de vous demander de faire une exception pour lui. C'est un miracle qu'il ait réussi à alunir indemne, ses réacteurs étant hors d'usage. Il est actuellement enfoncé à deux cents mètres dans la couche spongieuse. Nos biocompas ne le quittent pas. Mais il n'a aucune chance contre les gôrs.

Le vieillard resta impassible quelque temps. Puis, il parla d'une voix lente et sèche.

– Je m'étonne que le Conseil ait songé une seconde à forfaire à la loi. C'est une réaction de primitifs imbéciles. Ce Jâ Benal doit faire ses preuves comme les autres. Il y a cinquante ans, nos spécialistes ont mis en évidence que chaque homme était plus ou moins réceptif à la chance. Les progrès de la cryptobiologie en sont même à la mensuration mathématique de cette réceptivité. Résultat qui n'a malheureusement pas encore dépassé les expériences de laboratoire.

« Je ne veux pas, sur la Lune, accueillir un troupeau d'inutiles. La valeur intellectuelle et physique de cet homme ne m'intéresse en rien s'il n'est pas réceptif. Il a fallu que nous le soyons, nous, premiers *convicts*, pour organiser notre séjour ici, dans des conditions alors atroces. Il a fallu que je le sois encore plus que les autres, puisque je suis encore là aujourd'hui, seul survivant des temps héroïques, pour diriger vos destinées.

« Si cet homme meurt, je ne regretterai pas de l'avoir perdu, je regretterai d'avoir espéré un instant qu'il existait un individu de plus joignant les trois qualités : intelligence, force, réceptivité à la chance.

« Je sais que l'endroit de sa chute est le moins hospitalier de la planète : tant pis pour lui c'est qu'il n'a pas de chance ! Après tout, quand je suis arrivé ici, il y a cent quatre-vingt-dix-sept ans, j'ai touché la Lune dans la plaine des Rass, où les conditions de survie étaient beaucoup plus favorables qu'au Mont Circé, j'en conviens. Mais j'ai dû végéter plus de deux ans avant de me créer une retraite d'un hectare où j'ai pu subsister dans l'état de misère relative d'un contemporain du XXe siècle. Les compagnons que j'ai accueillis, que j'ai sauvés, m'ont tous déçu. C'est alors que j'ai pris la résolution de ne leur prêter main-forte qu'après un mois de débrouillage personnel. Ce délai a été ramené à quinze jours terrestres pour d'autres raisons...

« Non, quand je pense à tout cela, je considère que ces quinze jours, même dans l'enfer de Circé, constituent une épreuve à peine égale, sinon inférieure à ce que les premiers arrivants ont subi... Maintenant, laissez-moi !

Sur le mur-écran, l'envoyé du Conseil s'inclina profondément et disparut.

6

Quand Jâ Benal s'éveilla, frais et dispos, il reprit avec courage son travail d'ascension, un peu gêné par l'encombrement de son scaphandre. Longtemps, il tailla, arracha, refoula derrière lui des lambeaux d'éponge jaune. Par instants, il en examinait de près un morceau, cherchant à en comparer la texture avec toutes les matières terrestres qu'il connaissait. Il savait qu'il ne contenait pas un atome de fer puisque son polyaimant n'agissait absolument pas sur elle. Il supposa qu'elle contenait une bonne proportion de silice. Il se perdit en conjectures pour trouver la raison de son aspect criblé. Peut-être en un temps reculé appartenant à la préhistoire lunaire (il sourit en pensant que la préhistoire lunaire n'avait pris fin que trois siècles avant sa propre naissance), peut-être une grossière émulsion avait-elle été dégorgée d'un cratère. Ces bulles renfermaient certainement un gaz, mais lequel ? Il eût été très imprudent de retirer son casque pour s'en faire une idée.

Il s'étonna de ne jamais avoir eu connaissance de cette bizarrerie lunaire. Mais il était probablement arrivé dans une contrée mal explorée. La Terre elle-même, malgré le degré de civilisation et les puissants moyens de ses habitants, réservait quelquefois des surprises, quoique ayant été sillonnée en tous sens depuis des millénaires.

Il coupait toujours à grands gestes carrés. Depuis quelque temps déjà, il avait remarqué que le diamètre des bulles augmentait, il en avait même rencontré d'énormes, de deux ou trois mètres de diamètre, et s'en était réjoui, pensant avancer plus vite. Il ne tarda pas à s'apercevoir que c'était une illusion. Cela lui évitait seulement d'avoir à tailler sa route, mais décuplait les difficultés d'ascension. Les élastiques parois ne donnaient que des prises illusoires et fuyantes et il était obligé de contourner ces bizarres cavernes. Bientôt, il ne réussit plus à trouver trace du passage de sa chute. Il s'était complètement perdu dans ce labyrinthe insensé.

Au bord du découragement, il sabra devant lui à coups furieux. Mais sa lame se brisa net sur un corps solide. Il s'arrêta, le cœur battant. Il poussa hors du poing une lame de rechange et tâtonna prudemment, cherchant à dégager l'objet dur qui lui barrait la route. Il mit au jour une espèce de plate-forme rocheuse et chercha à la contourner. Il passa une bonne heure à creuser un petit tunnel d'exploration le long de ce plafond. Puis il changea d'idée et continua son travail sur la gauche. Il n'avait pas fait trois mètres dans cette direction qu'il trouvait le rebord du rocher. Ce n'était qu'une plaque d'une dizaine de centimètres d'épaisseur.

Il la contourna, se hissa par-dessus et se trouva sur le plancher solide d'une salle gigantesque aux parois criblées de bulles plus petites formant des loges, des cases, des niches s'étageant sur trente mètres de hauteur. Ce spectacle lui donna mal au cœur, et lui fit penser que la Lune était vouée à la ligne courbe, à la sphère, au cercle, à l'ellipse. Il avait hâte de reposer ses yeux sur quelque chose de rectiligne, de plat, de cubique et regarda le sol. Il sauta légèrement pour en éprouver la solidité. Un balancement dû à la nature élastique de la couche sous-jacente anima l'ensemble. C'était un progrès ; il avait l'impression de marcher sur un pont suspendu après s'être débattu des heures dans la pâte de guimauve.

Il fit lentement le tour de la salle et rencontra plusieurs couloirs au sol identique qui partaient en étoile dans toutes les directions.

« Enfin, se dit-il, si désert qu'il soit, voilà un endroit aménagé par les hommes, je n'ai qu'à continuer au hasard, je finirai bien par en trouver. »

Il s'engagea dans un couloir et marcha courageusement. A chaque pas, l'étrange passerelle se balançait un peu. Il n'était pas trop inquiet sur son sort ; il avait de la nourriture pour six mois, de la boisson pour autant, si toutefois son eudiomètre ne se détraquait pas. Sa pile atomique était réglée pour vingt ans. Vingt ans pendant lesquels il produirait lui-même le courant alimentant le générateur d'oxygène, le phare et le polyaimant. D'ailleurs, il pensait bien ne pas moisir vingt ans sur la Lune. L'esprit à peu près tranquille pour la première fois depuis presque une semaine, il eut enfin des préoccupations plus normales et se sentit très sale. Il appuya sur un bouton placé sur sa poitrine et, sans s'arrêter de marcher, jouit profondément des mille contacts des jets filiformes de détergène qui lui fouettaient la peau du haut en bas. Le liquide sale s'échappait en sifflant par deux valves situées au bas de ses jambes.

Soudain, il s'arrêta net et coupa la douche. Il avait entendu quelque chose. Il frotta légèrement ses écouteurs et pencha la tête, prêtant l'oreille. Silence. Il cria :

– Il y a quelqu'un ? et attendit.

Il s'apprêtait à renouveler sa question, lorsqu'une voix assez proche derrière lui dit quelque chose comme :

– Gôr !

Il se retourna brusquement, son phare balaya au passage les milliers de bulles criblant les parois du tunnel : rien !

– Eh ! Il y a quelqu'un ?

Un silence, puis encore « gôr ! ». Mais sur sa gauche cette fois. Il tournoya sur lui-même et vit quelque chose sauter dans une bulle et disparaître. Il se précipita, enfouit son bras dans l'orifice, mais celui-ci était prolongé par une espèce de couloir large de cinquante centimètres. La chose était déjà loin. Il entendit décroître un bruit de « clap ! clap ! », comme un torchon mouillé fouettant un mur ; le bord élastique de l'ouverture vibrait encore un peu.

Jâ chercha dans ses souvenirs de lecture toutes les descriptions d'animaux lunaires qu'il connaissait : un rass ? Mais non ! Il aurait tout de suite reconnu un rass. Tout enfant, sa mère l'emmenait toutes les semaines au zoo pour les lui montrer dans leurs cages de verre. C'était tout rouge, beaucoup plus gros, et surtout muet comme une carpe. Jamais un rass ne serait passé dans un couloir aussi étroit. Un slop ? Non plus !

La terminologie de la faune lunaire était simple et se basait sur l'onomatopée. On nommait les animaux par leur cri familier. Les slops, ces longs serpents roses tachés de bleu, devaient leur nom au bruit qu'ils provoquaient en sortant leur langue qui se déroulaient d'un seul coup comme un mirliton. Les rass, au vacarme particulier produit par les avalanches de gravier qu'ils poussaient dans les mares d'oxygène afin d'en faire monter le niveau jusqu'à leur terrier au moment des décrues. Mais Jâ n'avait jamais entendu parler d'un gôr.

7

La première surprise passée, il haussa les épaules et continua sa route. L'inconnu était toujours un peu effrayant mais, à part les monstres (seul être lunaire ne devant pas son appellation à l'onomatopée), animaux dangereux entre tous, et les vouss, ces petites mouches dont la piqûre provoquait trois bons jours de folie furieuse, aucune espèce n'attaquait l'homme.

D'ailleurs, la taille de la bête mystérieuse, dont il n'avait vu qu'une ombre rapide, ne l'inquiétait pas beaucoup. Il était peu vraisemblable qu'un animal à peu près gros comme un chat pût nuire à un homme revêtu d'un scaphandre fait pour affronter les terribles épreuves d'un voyage interplanétaire.

Il marcha encore, enfila des couloirs innombrables, traversa des salles rondes, aboutit à des culs-de-sac qui le contraignirent à rebrousser chemin plusieurs fois. Fatigué, il s'assit dans une bulle de la cloison constituant un siège parfaitement confortable, à la suspension idéale.

C'est à cet instant qu'il sentit le plafond trembloter au-dessus de lui. Il leva les yeux et vit une tête hideuse l'observer par un orifice, une tête humaine, ou presque : verdâtre, avec deux yeux, un nez, une bouche. Les yeux étaient très enfoncés, comme deux étincelles scintillant au fond des orbites énormes et creuses. Le nez, ou plutôt les narines, étaient deux simples trous ronds. Même chose pour ce qu'il supposa servir d'oreilles. La bouche, largement fendue, semblait sourire sur de nombreuses dents effilées comme celles des poissons. L'ensemble était macabre : une véritable tête de mort.

Jâ réprima un sursaut. Il masqua son trouble sous de la gouaille :

– Eh bien, mon vieux, dit-il, tu n'es pas joli, joli !

Il tendit la main en l'air, vers la bête.

– Viens, viens dire bonjour au monsieur.

L'animal parut comprendre et, se glissant hors de sa retraite, se laissa tomber sur le sol, stupéfiant Jâ par son aspect. En effet, ce qu'il croyait être une tête constituait le corps entier ou presque. Elle reposait sur un socle de quelques centimètres. L'ensemble avait la taille et la silhouette d'un ballon d'enfant posé sur un verre à dents et terminé par deux pattes palmées comme celles d'un canard. La bête fit deux ou trois petits sauts d'oiseau en direction de Jâ avec le bruit de « clap ! clap ! » qu'il avait déjà entendu. Elle s'arrêta à un mètre du jeune homme et dit « gôr ». Le son venait du fond de la gorge largement ouverte et découvrant des muqueuses blanches et humides. Une bave coula sur le sol.

– Gôr ? dit Jâ. Je suppose que ça veut dire bonjour ? Eh bien, bonjour, bonjour ! Mais ne t'approche pas plus, tu me dégoûtes... Eh, là !

Jâ recula instinctivement sa jambe. Le gôr s'était déhanché sur une patte et avançait l'autre vers lui, l'allongeant comme un tube télescopique. La patte, au bout de sa jambe mince et distendue, palpa le genou de Jâ Benal. Par un geste de dignité, celui-ci lutta pour rester immobile. Une horreur physique l'envahit à ce contact, même à travers le scaphandre. Brusquement, il se mit debout et marcha avec rapidité. Il entendit le gôr clapoter dans l'ombre à sa suite. Il parcourut une trentaine de mètres et se retourna, n'y tenant plus.

– Tu as fini, oui ! cria-t-il.

Le gôr se dandina d'une patte sur l'autre.

– Tu es un bon toutou, mais fiche-moi le camp. Tu ne vas pas rester derrière moi pendant une année. Allez, allez !

Il fit mine de le chasser à coups de pied. Le gôr éjecta brusquement les deux pattes de son corps débile et fit un bond énorme en arrière. Jâ resta un instant à le surveiller de loin, il ne voyait de lui que les deux petites étincelles de ses yeux.

– Fiche-moi le camp ! répéta-t-il.

Il se retourna, fit deux pas et stoppa net. Trois autres gôrs se trouvaient devant lui. Instinctivement, il porta la main à sa hanche et la laissa retomber, déçu. Il regretta que le gouvernement terrien ne fournît pas autre chose que des armes blanches aux condamnés. Il sortit une lame de son gantelet droit et serra fortement la poignée du polyaimant à l'intérieur du gantelet gauche. Il braqua l'aimant dans la direction du gôr le plus proche ; celui-ci fut arraché au sol et vint se coller au polyaimant. Jâ leva sa lame et ricana :

– Ah, ah ! Ça t'en bouche un coin, mon bonhomme. Tu as du fer dans le sang, vois-tu ! Si peu que ce soit, ça me suffit pour t'attraper à cinq mètres.

Le gôr restait immobile, fixant l'homme dans les yeux. Jâ hésitait à le frapper ; qui sait s'il n'allait pas provoquer la fureur des autres ? Quelles étaient les ressources combatives de l'espèce ? Il n'en savait rien. Il décida de le relâcher et le lança au loin en desserrant la poignée du polyaimant. Mais il vit le couloir plein de petits yeux scintillants, à l'infini.

Un vertige le saisit. Il voulut partir dans l'autre direction, mais ses jambes restèrent clouées au sol. Puis il fit un, deux pas mécaniques vers la foule verdâtre. Il lutta de toutes ses forces pour résister à la volonté des gôrs. Il essaya en vain de fermer les yeux. Une force terrible maintenait ses paupières. Il fit encore deux pas, trébucha, avança encore et adopta enfin une allure lente et régulière de somnambule. Il n'avait absolument rien perdu de sa conscience. « Les saletés, pensa-t-il, eux aussi peuvent m'attraper, et sans polyaimant. Je ne peux pas, je ne peux pas commander mes muscles, ma tête ne les dirige plus. » Les gôrs grouillaient autour de lui. De temps en temps, l'un d'eux cessait de l'escorter et faisait rapidement quatre petits sauts sur place « clap ! clap ! clap ! clap ! » puis reprenait son avance. « C'est sans doute leur façon d'applaudir, se dit Jâ, bravo ! bravo ! Nous avons pris un homme ! Nous allons le... Au fait, que vont-ils me faire ? »

Il obliquait docilement là où les immondes bêtes voulaient. Elles avaient l'air de savoir où elles l'attiraient. Ils croisèrent un tunnel inachevé où d'autres gôrs tassaient une pâte humide sur le sol à grands coups de patte. D'autres creusaient la matière spongieuse à pleine mâchoire. Et Jâ comprit qu'il avait affaire à des êtres intelligents. Que toutes ces routes suspendues étaient leur œuvre et non celle des hommes comme il l'avait cru. Sur son passage, les ouvriers s'arrêtèrent un instant pour applaudir à petits sauts avant de se remettre à l'ouvrage.

Ils aboutirent dans une salle aux proportions de cathédrale, violemment éclairée par un feu énorme allumé au milieu. Une immense clameur de « gôrs ! » et de « clap ! clap ! » salua son arrivée. Jâ fut conduit dans une bulle ouverte sur la salle et laissé à la garde d'une dizaine de bêtes. Il essaya en vain de lutter contre les yeux braqués sur lui et resta immobile dans son coin. Il observa autour de lui. Cinq ou six gôrs s'approchèrent très près du feu, allongèrent ensemble une patte dans les flammes et en tirèrent rapidement une forme brune. Ils l'entraînèrent à l'écart avec leurs dents et commencèrent à mordre goulûment. D'ignobles déjections tombaient sous eux au fur et à mesure qu'ils mangeaient. Une bouchée avalée, une saleté de plus par terre ! Jâ pensa qu'ils avaient la digestion rapide et l'hygiène rudimentaire.

Il reconnut la chose qu'ils avaient tirée du feu, c'était un rass. Et il fallait que les gôrs soient diablement vigoureux pour l'avoir manié aussi facilement, même en s'y mettant à six. De petits gôrs gros

comme des bouchons couraient entre les adultes, quémandant un morceau à l'un ou à l'autre.

Jâ regarda ailleurs et frémit. Un peu plus loin, à côté d'un autre rass rôti à point et déchiqueté par d'avides mâchoires, il distingua des reflets métalliques et reconnut les pièces démontées d'un scaphandre identique au sien. Des ossements humains jonchaient le sol alentour. Jâ sut ce qu'on voulait faire de lui. Il eut un sursaut immédiatement jugulé par des centaines de regards braqués sur lui.

– Vous êtes d'ignobles saletés ! cria-t-il.

Les « gôrs ! » et les « clap ! clap ! » lui répondirent.

– Vous pouvez m'empêcher de bouger, mais vous ne m'empêcherez pas de vous dire ce que je pense, hurla Jâ. Je n'ai jamais rien vu d'aussi repoussant que vos sales têtes de singes miteux. Le sourire osseux de ce pauvre type que vous avez déchiqueté est plus sympathique que vous.

Des clameurs énormes couvrirent sa voix. Plusieurs gôrs se mirent en cercle autour de lui et hurlèrent en chœur, montrant le fond de leur gorge blanchâtre.

– Ha ! Ha ! fit Jâ, que la colère sauvait de la terreur, vous ne saisissez peut-être pas les détails, mais vous comprenez tout de même que je vous eng...

La grossièreté de ses paroles lui fit du bien. Mais il avait dit la vérité. Il aurait embrassé sans dégoût le crâne humain qui gisait près des débris du scaphandre. Il sentait en lui un frère, un ami malheureux. Il ébaucha un geste de menace vite maîtrisé par la volonté de l'horrible foule et se tut.

Il se demanda comment les gôrs avaient pu décortiquer le scaphandre de son défunt compagnon et ne trouva pas d'explications. Mais le fait était là : ils pouvaient le faire. Peut-être imposaient-ils à leurs victimes humaines de démonter elles-mêmes l'appareil qui les protégeait.

Il réfléchit à sa situation, tandis que les gôrs retournaient à leur festin. Ces êtres devaient avoir un métabolisme analogue au sien et respiraient comme lui. L'action du polyaimant avait prouvé qu'ils contenaient des traces de fer, vraisemblablement de l'hémoglobine. La montagne poreuse qu'ils habitaient était une véritable mine de bulles d'oxygène. La vivacité du grand feu en faisait foi.

Leur corps débile recélait une force étonnante, il calcula que quatre gôrs valaient un homme moyen. Mais leur plus dangereuse caractéristique était leur pouvoir de suggestion. Là encore, il fallait qu'ils se mettent à plusieurs pour imposer leur volonté et... A cet instant de ses réflexions, Jâ sentit une bouffée de chaleur lui monter au visage, une idée très imprécise mais très importante venait de lui passer dans l'esprit. Il se tortura la matière grise pour se rappeler quelque chose, un fait significatif auquel il n'avait pas pris garde. Et brusquement, il sut ! En les invectivant, tout à l'heure, il avait fait un geste ; tandis que les gôrs furieux poussaient des hurlements, il avait montré le poing : il avait pu bouger ! La colère anéantissait momentanément chez ces bêtes leur pouvoir de suggestion. « Eh bien, mes cocos, pensa Jâ Benal, je vais essayer de vous mettre dans une rogne épouvantable. »

Il réfléchit un instant et, brutalement, se mit à injurier copieusement ses ennemis, il les inonda d'imprécations en choisissant les mots les plus orduriers qu'il connaissait ; ses paroles emplissaient la salle de tonitruantes clameurs dues au fait qu'il avait poussé son amplificateur de son au maximum.

Le résultat ne se fit pas attendre. Les gôrs se mirent à hurler en chœur, à lui montrer rageusement les dents. Quand le vacarme eut atteint son paroxysme, Jâ bondit par-dessus ses gardiens et tomba au milieu d'un groupe de bébés gôrs, les écrasant sous ses lourdes semelles ; un deuxième saut formidable (qu'il n'aurait pu réussir sur Terre) le jeta au beau milieu du brasier. Il régla rapidement le réfrigérateur de son scaphandre et transforma le foyer en un feu d'artifice éblouissant, projetant dans toutes les directions des gerbes d'étincelles. A coups de pied, à coups de poing, il répandit dans toute la salle une brûlante pluie de braises. Et encore, et encore ! Déchaîné par la haine et l'instinct de conservation, il ne laissait pas aux gôrs le temps de se ressaisir. Il les voyait bondir comme des démons dans les flammes. Certains se tordaient sur le sol. La plupart fuyaient par les couloirs, montant les uns sur les autres. Quand Jâ se vit à peu près seul, il sauta hors du foyer et courut à longues foulées vers un couloir.

A son approche, quelques gôrs s'enfuirent par des ouvertures secondaires. Il ne prit pas le temps de réfléchir sur la direction à prendre, mit le plus de distance possible entre lui et la salle maudite.

8

Il courut longtemps dans un dédale de voies compliquées et finit par s'arrêter sur une route en corniche surplombant un abîme. Il se pencha sur le vide et constata que, deux cents mètres plus bas, le fond du gouffre était toujours constitué par la même masse spongieuse. La chute ne pouvait pas être dangereuse pour quelqu'un ayant supporté sans dommages un plongeon de plusieurs centaines de kilomètres. Les gôrs pouvaient arriver d'un instant à l'autre.

Il sauta, creva le fond du gouffre et s'engloutit sous vingt mètres d'éponge avec la sensation de se retrouver chez lui, couché dans un lit familier. Il s'accorda une douche de détergène pour chasser la sueur d'angoisse dont sa peau était huilée sous le scaphandre, prit deux pastilles et aspira goulûment par deux fois dans le tube à Drinil.

La bulle ovoïde dans laquelle il avait élu domicile était à demi-pleine du liquide sale de sa douche. Et quoique le fait n'eût aucune importance, en raison du scaphandre, Jâ en ressentit un malaise, une sensation d'étouffement. « Je vais vider mon bain, pensa-t-il. » Il creva le fond de la bulle d'un coup de poing et le liquide s'écoula comme d'une baignoire. « Très pratique », sourit-il en s'allongeant dans une position confortable. Il éteignit son phare et ferma les yeux. Il entendit un lointain « gôr » qui lui donna le frisson.

– Cherchez, cherchez, mes agneaux, grogna-t-il en se tournant sur le côté pour dormir.

Mais aussitôt un bruit de « ploc ! » lui parvint, puis un autre, puis plusieurs à la fois, enfin une grêle de chocs frappa la surface et Jâ comprit que les gôrs sautaient à sa suite. Il alluma son phare, entendit aussitôt des hurlements et comprit trop tard qu'il avait commis une faute. La lueur du phare devait porter assez loin à travers les bulles translucides pour guider ses poursuivants. Ceux-ci, du haut de la route en corniche, avaient certainement remarqué au fond du ravin une vague lueur et avaient repris l'offensive. Ils devaient être résolus à ne plus perdre leur sang-froid.

Déjà, le jeune homme entendait des bruits de ballons crevés se rapprocher. Il n'attendit pas, fendit largement le fond de son alcôve et tomba trois bulles plus bas.

Les vides, à cet endroit, étaient très rapprochés, chaque cellule n'étant séparée de la précédente que par une mince membrane qui apparentait l'ensemble à une gigantesque mousse de savon. Il renouvela plusieurs fois son geste qui l'éloignait du danger par chutes successives, de cinq mètres en cinq mètres. Dans cette fuite, il avait sur les gôrs l'avantage du poids.

Il s'apprêtait à descendre encore, mais son bras armé d'une lame resta levé ; quelque chose d'étrange avait lieu : une lueur diffuse l'environnait. Il entendit quelques cris de gôrs qui lui parurent tout proches mais sous lui, cette fois. Il attendit un peu et se décida à pratiquer une ouverture minuscule dans la paroi pour jeter un regard dans la bulle inférieure : celle-ci était vide. Il y descendit avec précaution et tailla encore une mince meurtrière un peu plus bas. Il s'aperçut alors qu'il surplombait une salle semblable à celle qu'il avait eu tant de mal à quitter. D'autres gôrs l'occupaient, assemblés autour de leur feu. Mais ceux-ci n'avaient pas la même teinte que les autres. Ils étaient un peu plus gros et d'une blancheur de neige. Jâ frémit à l'idée qu'il aurait pu crever le plafond et refaire le même cauchemar. Une membrane fragile le séparait de ce nouveau danger. Il se mit lentement debout pour tenter une remontée, mais par mégarde, il posa sa lourde semelle sur la fente et toute sa jambe passa au travers ; la matière résista un peu pendant qu'il se débattait, puis se déchira davantage. Les cris des gôrs blancs éclatèrent sous lui, tandis qu'il se retrouvait suspendu, tournoyant comme un pantin au-dessus de l'énorme feu.

Il serrait à pleins bras les lambeaux qui tenaient encore. Il regarda vers le bas et vit des centaines de gueules tendues vers lui. Jouant le tout pour le tout, il se laissa aller et chut au milieu des flammes. Il renouvela la méthode qui lui avait déjà réussi et dispersa des masses de braises aux quatres points de la salle. Les gôrs blancs s'enfuirent dans toutes les directions. Jâ sortit du feu et s'avança rapidement vers un tunnel, mais il s'immobilisa d'un seul coup. Des gôrs blancs obstruaient fermement toutes les issues et le fixaient dans les yeux tandis que quelques gôrs verts paraissaient leur dicter la conduite à suivre en tapotant leurs pattes sur le sol, suivant un rythme compliqué.

« Ils connaissent une espèce d'alphabet morse, ces vermines, constata Jâ. Les blancs ont l'air de comprendre qu'ils ne doivent pas s'énerver. » Il voulut reculer vers le feu ; en vain ! Il injuria les gôrs. Ceux-ci découvrirent un peu les dents, mais sans le lâcher du regard. Au fond de leurs noires orbites, les petites étincelles brillaient de haine.

– Ils veulent, ils veulent que... murmura Jâ.

Doucement, son bras gauche monta sous son aisselle droite. Il essaya désespérément de résister, mais fut contraint de saisir avec le polyaimant la clef logée sous son aisselle. Il porta cette clef au cou du scaphandre et, lentement, commença à déboulonner son casque. Dans le silence hostile, quelques gôrs tapèrent des pattes. Un boulon roula sur le sol.

A cet instant, un bruit de tonnerre emplit la salle, tout un pan de la paroi fut fauché par une espèce de tentacule titanesque, large comme un pilier, qui tâtonna parmi les gôrs hurlant. Jâ fit un saut en arrière au moment où la chose passa près de lui en sifflant comme un fouet géant. Il se renfonça le plus loin possible dans une bulle et, paralysé de stupeur, regarda les événements.

La chose n'était pas un tentacule, mais plutôt un tuyau, une trompe qui gobait les gôrs comme un aspirateur avale des grains de poussière. D'après les dimensions, Jâ pensa qu'il y passerait facilement, scaphandre compris. Une deuxième, puis une troisième trompe percèrent bruyamment le plafond de la salle, puis une longue patte cornée se posa sans paraître en souffrir au milieu du brasier. Retrouvant son sang-froid, Jâ se précipita dans un couloir sans s'occuper des gôrs qu'il piétinait. Car il savait ce qu'était la chose, il en avait vu des reproductions dans les jardins du muséum, à Staleve. L'animal avait démantelé la cité des gôrs avec la même facilité qu'un tamanoir disperse une fourmilière. C'était le plus gros animal lunaire, et le plus dangereux : un monstre.

Il courut plusieurs kilomètres et perça une cloison pour s'introduire profondément dans le sol élastique. Choisissant une bulle confortable, il s'empressa de remplir toutes les cavités voisines de détergène, constituant ainsi un barrage problématique aux investigations des gôrs. Il prit la précaution d'éteindre son phare et s'endormit, terrassé de fatigue.

9

Une chaleur étouffante l'éveilla. Il régla son réfrigérateur et s'inquiéta de voir qu'il faisait très clair. Machinalement, il voulut éteindre son phare et s'aperçut que celui-ci n'était pas allumé. Jetant les yeux autour de lui, il ne reconnut pas l'endroit où il s'était endormi. La bulle paraissait beaucoup plus vaste. Il lui sembla même qu'elle grossissait encore. Il s'apprêtait à se lever quand la bulle explosa brusquement et il se vit rouler sur la pente abrupte de la montagne. Il rebondit de loin en loin, provoquant une explosion d'oxygène à chaque contact avec la masse élastique et se retrouva sur le sol dur sans trop de mal. La lumière intense l'empêchait de rien distinguer autour de lui et le força à mettre en place son écran antisolaire.

Il leva la tête vers la montagne à laquelle il venait d'échapper et comprit le pourquoi des explosions. L'oxygène dilaté par la chaleur et le vide ambiant distendait les minces enveloppes élastiques et s'échappait brusquement au dehors. Partout, on voyait des bulles crever en silence. La montagne avait l'air de bouillir. Mais là où se trouvait Jâ, il était impossible d'entendre les explosions, car l'espace était vide de tout gaz.

D'où venait cette matière spongieuse ? Jâ regretta de n'être pas géologue. D'anciennes mers sous-jacentes, et contenant sans doute une énorme proportion de silice en suspension colloïdale, repoussaient un peu plus tous les jours vers la surface cette « mousse » rendue plus consistante par une polymérisation due à l'action en profondeur de rayons cosmiques aux effets mal connus.

Dans ce cas, le monde des gôrs devait disparaître un jour. Bon débarras ! Mais hélas, le phénomène durait probablement depuis des millénaires et durerait encore autant.

« Ces mouvements géologiques sont d'une extrême lenteur, pensa Benal ; ce n'est pas parce que la pointe du Raz s'effrite un peu tous les ans sous l'assaut des vagues atlantiques que la vie des Bretons est menacée pour autant. La fin des gôrs n'est pas pour demain. De vivifiantes bulles d'oxygène monteront encore pendant des siècles à l'usage de ces vermines. Dommage ! »

Quelle que fût l'origine de cette anomalie, c'était un bonheur pour Jâ d'en être sorti indemne. L'aventure avait assez duré, il était temps de rencontrer des hommes. Mais où ? Jâ ignorait absolument dans quelle partie de la Lune il se trouvait.

Des soucis plus immédiats avaient accaparé son esprit durant (sans doute) des jours. Il trouva cruel de n'avoir à sa disposition aucun instrument de navigation, même les montres étaient refusées aux condamnés. L'aspect du paysage ne lui rappelait absolument aucun site décrit par les premiers explorateurs. Il était probablement dans la zone de libration, puisqu'il voyait à peine disparaître à l'horizon un petit dôme de la Terre.

Cela n'empêchait pas qu'il aurait peut-être des milliers de kilomètres à parcourir au hasard avant de voir un visage humain, si toutefois il échappait aux embûches de la solitude dans ces régions isolées.

Il pensa que l'instinct de la plupart des arrivants avait été de s'installer de préférence à l'endroit de la Lune d'où l'on voyait mieux la Terre. Lui-même avait grand besoin de se réconforter à la regarder. S'il devait rencontrer une cité lunaire, c'était par là qu'il fallait diriger ses pas. Il se mit donc courageusement en marche vers l'endroit où la Terre achevait de disparaître et résolut de persévérer coûte que coûte dans cette direction au lieu de tourner en rond.

Il descendit à larges bonds les contreforts rocheux de la montagne. Ses pas soulevaient autour de lui une poussière étincelante. Exactement comme la marche d'un scaphandrier sur un fond sablonneux. Il dévala des pentes caillouteuses, faisant ébouler sous lui des masses de gravier, et arriva dans une espèce de petite vallée sèche, murée au loin par un barrage de rass.

Il entendit bientôt les « rass, rass ! » que produisaient ces animaux en grattant le sol avec leurs pattes arrière et comprit qu'il se trouvait dans une mare d'oxygène. Plusieurs détails vinrent renforcer son assurance. De maigres lichens couvraient le sol par endroits. Il vit même un slop rose et bleu s'enfuir à son approche. Dans un creux plus profond, il traversa des nuages de vouss et se félicita d'avoir un

scaphandre. Enfin, il vit des rass et s'embusqua derrière un rocher pour les observer.

Les rass étaient un peu les castors de la Lune. Ils savaient retenir l'oxygène de toutes les manières possibles et rendaient la vie à des vallées désertes, édifiant des barrages de pierres qu'ils rendaient étanches en les revêtant à grands coups de langue d'une espèce de vernis sécrété par leurs glandes salivaires.

En fait, ce qu'on appelait pompeusement « oxygène » sur la Lune, n'était qu'un mélange gazeux en contenant à peine dix pour cent. Mais la faune lunaire était adaptée à cet air pauvre, et certains animaux pouvaient même s'en passer plusieurs heures, quitte à en refaire provision de temps en temps. De même qu'une baleine reste des heures sous l'eau après avoir respiré à la surface.

Jâ vit un rass descendre au fond de la vallée, aspirer bruyamment avec sa trompe et s'enfler comme une outre. Ensuite l'animal remonta plus haut et souffla l'oxygène à l'intérieur d'un terrier. Il renouvela plusieurs fois son manège avant de disparaître définitivement dans son trou. Il avait à peu près la taille d'un veau. Soudain, une ombre se détacha d'un coin sombre et entra à la suite du rass à l'intérieur du terrier. Jâ était trop loin pour bien distinguer ce dont il s'agissait. Il attendit quelques minutes et vit le rass ressortir, suivi par l'ombre sautillante. Il regarda mieux et reconnut un gôr. Le rass se retournait de temps en temps, faisant mine de revenir sur ses pas. Mais un regard du gôr lui faisait reprendre docilement le chemin de la montagne.

« Oh, encore ! » se dit Jâ. Le pauvre rass avait toute sa sympathie. Le jeune homme ramassa une pierre grosse comme le poing et s'approcha. Il visa soigneusement et lança le projectile avec force. Atteint en plein, le gôr roula sur lui-même et ne bougea plus, tandis que le rass s'enfuyait à toute vitesse.

Jâ entendit au loin des « gôrs » et tourna la tête. Une vingtaine d'ombres rondes dévalaient une petite colline à cinq cents mètres de là. Certains étaient déjà dans la vallée. Jâ s'empressa de grimper sur l'autre versant, sortit de la mare d'oxygène et prit à travers le désert, au pas de course. De temps en temps, il regardait derrière lui. Les gôrs le suivaient à distance, en troupe nombreuse. Mais l'espace s'accroissant entre eux et leur proie, ils renoncèrent. Jâ, soulagé, les vit bientôt revenir en arrière. Il s'engagea dans le grand désert blanc, faisant voler des nuages de poussière lumineuse.

– Ici Calypse, ici Calypse ! Le nouvel arrivant N° C.S.177 a quitté le Mont Circé. Situation actuelle : 109-27, c'est-à-dire dans la plaine des Cendres. Direction 113-32 ; il va droit sur la chaîne Pluton.

– Merci Calypse. Je passe immédiatement au Central... Central, Central ! Ici poste 100, ici poste 100 ! Calypse nous communique la position C.S.177 : soit 109-27. Direction 113-32.

Le mince jeune homme au visage sérieux fronça les sourcils et répondit brièvement :

– Merci Central !

Il coupa et s'approcha d'une sphère de deux mètres de diamètre représentant la Lune. Il parla d'une voix précise en direction de la sphère :

– 109-274 !

La sphère tourna sur elle-même. Un point lumineux y apparut sur l'hémisphère Nord.

– La plaine des Cendres, dit-il rêveusement. Il n'est pas encore tiré d'affaire. Je me demande pourquoi ils attachent tant d'importance à ce type.

Un timbre sonna.

– Oui, dit le jeune homme.

– Ici, Conseil, dit une voix. Alors ? Vous l'avez ?

– Bien sûr, Excellence !

– Eh bien ?

– La plaine des Cendres !

– Bon ! Faites passer son itinéraire en direct. Merci.

Le jeune homme parla dans un micro :

– Poste 100 ! Poste 100 !... Ici Central, ici Central ! Veuillez faire passer l'itinéraire de C.S.177 en direct au Conseil. Merci.

10

L'Excellence était renversée en arrière sur son hamac. Un sourire bienveillant errait sur les lèvres du gros homme tandis qu'il considérait son visiteur assis en face de lui.

– Ça n'a pas été trop dur sur la Terre ? demanda-t-il.

– Mes toutes premières missions m'ont amusé,

mais maintenant, à mon dixième voyage, j'en ai vite assez de manger leur sale cuisine et de porter leurs costumes ridicules.

Tous deux étaient pratiquement nus sous leur étroit maillot transparent. Leur crâne était rasé. Le gros homme jeta un regard distrait sur la Terre dont la masse énorme était visible derrière le dôme de verre qui constituait les trois quarts de la pièce.

– Ne dites pas ça, Citoyen. La Terre a du bon, croyez-moi. Dire qu'il y a plus de soixante ans que je n'ai pas vu de vrai ciel bleu, ni la mer, ni senti le vent me caresser la figure.

Le visiteur secoua lentement la tête.

– Vous savez, dit-il, moi, je suis né ici.

Le gros homme ramena rapidement les yeux sur son compagnon, puis, se levant, il se mit à marcher de long en large.

– Évidemment, grogna-t-il, évidemment ! Mais je voudrais bien avoir votre âge pour pouvoir aller respirer autre chose que de l'air artificiel. Ah, si j'avais quatre-vingts ans !

Il s'arrêta devant la vitre, les mains croisées derrière le dos, les doigts nerveusement serrés.

– Je ne leur pardonnerai jamais, murmura-t-il avec conviction.

La porte du fond devint transparente, tandis qu'un son perlé emplissait la pièce. L'Excellence se retourna et vit les trois hommes qui attendaient dans l'antichambre.

– Entrez, Citoyens, dit-il.

La porte disparut complètement, les visiteurs s'avancèrent et s'étendirent sur les hamacs que l'Excellence leur désignait.

Le gros homme s'éclaircit la voix.

– Citoyens, dit-il, je vous ai fait venir pour une

raison très sérieuse. Deux nouveaux arrivants sont sur la Lune depuis plus de huit jours. L'un est mort rapidement et ne nous intéresse donc pas. L'autre a percuté le Mont Circé. Il a dû y subir pas mal de coups durs pendant les trois jours qu'il a mis à en sortir.

Les visiteurs ouvrirent de grands yeux. L'un d'eux prit la parole :

– Vous voulez dire qu'il s'est tiré de là tout seul ?

– Parfaitement ! Et cela prouve qu'il est particulièrement chanceux, plein de sang-froid et d'énergie. Cet homme n'est pas un vrai condamné, mais un espion terrien. Écoutez le rapport du citoyen Tem ici présent. Allez-y, Tem.

– Aussitôt après la condamnation de Jâ Benal, savant terrien accusé d'avoir fait sauter une partie de la ville de Lepolvi par négligence, Son Excellence m'a donné mission d'aller effectuer sur Terre l'enquête de rigueur pour tout nouvel arrivant.

« Il résulte de cette enquête que, malgré la publicité faite à cet événement et les précautions prises pour qu'il paraisse sérieux, primo : aucune victime n'est à déplorer ; secundo : les quartiers anéantis de Lepolvi étaient promis depuis longtemps à la démolition en tant qu'insalubres ; tertio : les instruments de grande valeur et les dossiers de laboratoire de Jâ Benal ont été mis en lieu sûr avant l'explosion.

– Il y a quatre-vingt-dix chances sur cent pour que Jâ Benal soit un espion, conclut l'Excellence. Ils ne nous ont pas envoyé n'importe qui. Le Vénérable Ancêtre (il s'inclina profondément, imité par ses compagnons), quand il a connu les véritables antécédents de Benal, a donné contre-ordre de lui épargner les quinze jours d'épreuve. Cet homme est un savant qui devrait normalement arriver chez nous aux postes clés. Eh bien, Citoyens, il est absolument nécessaire qu'il se figure y parvenir afin d'être mieux dupé. Je vous ai choisis tous les quatre parce que je connais vos qualités. A vous de mettre tout en œuvre pour qu'il ait la vie sauve et s'imagine entrer en contact avec nous d'une façon naturelle... Mox ! Vous vous occuperez du captage de la façon que vous jugerez préférable.

L'Excellence appuya sur un bouton. Une sphère lunaire identique à celle du Central de surveillance, située dans un angle de la pièce, tourna sur elle-même. Un point brillant s'y alluma. L'Excellence le désigna :

– Voilà la situation de l'homme en question. Je vais donner des ordres pour qu'on installe chez vous une sphère reliée directement au Central. Vous aurez ainsi sa position à chaque minute. Mettez tout en œuvre pour qu'il en réchappe. C'est déjà un miracle qu'il soit encore vivant. Vix et Sli ! Jâ Benal sera affecté, pour commencer, au laboratoire de recherches nucléaires, en attendant d'être introduit sciemment à la Défense. Vous êtes assez calés tous les deux pour être ses assistants. Quant à vous, Tem, votre tâche en apparence plus simple sera peut-être la plus délicate. Vous devez devenir l'ami intime de Benal, arrangez-vous pour qu'il vous fasse confiance, simulez discrètement des sentiments anti-lunaires. Mox peut agir sur-le-champ. Il est indispensable que Jâ Benal n'atteigne pas la chaîne de Pluton où les dangers sont trop grands. Vous trois, je vous reverrai bientôt pour la mise au point de vos petits scénarios.

Une véritable cloche de cathédrale sonna dans la pièce.

– Citoyens, annonça gravement l'Excellence, l'heure des imprécations !

Ils se dressèrent tous les cinq pour se ranger les uns à côté des autres devant la vitre. Ils levèrent les yeux vers la Terre, énorme et verdâtre dans le ciel noir troué d'étoiles. Ils commencèrent les imprécations rituelles :

Terre, qui nous es refusée !
Nous avons faim de toi comme du fruit pendu à la branche,
Terre, le jour est proche où nous te reprendrons,
Nous puiserons dans tes délices avec d'autant plus de frénésie que nous aurons longtemps attendu.
Terriens, qui nous avez chassés !
Parce que vous étiez le nombre et la bêtise et que vous nommiez cela : justice,
Terriens, nous reviendrons bientôt vous dominer, vous mépriser, vous asservir,
Et notre vengeance aura d'autant plus de force que nous l'aurons longtemps attendue !

Après un moment de silence quasi religieux, l'Excellence toussota et reprit la parole :

– La mise en scène du gouvernement terrien pour nous faire accepter Jâ Benal illustre parfaitement leur fausse sensiblerie et leur lâcheté hypocrite. Ils prétendent avoir le respect de la vie humaine et ont commis la faute d'éviter des victimes dans la catastrophe de Levolpi, risquant ainsi la vie de milliers d'autres des leurs en nous donnant des chances supplémentaires de succès. Ils ont supprimé la mort comme peine capitale, mais n'hésitent pas à envoyer ici des hommes qui ont cinquante chances sur cent de périr. Ils sont trop faibles pour tuer de leurs mains et préfèrent exposer les condamnés aux plus grands dangers et au supplice infernal de l'exil. Nous leur réservons d'amères surprises.

11

Jâ avançait péniblement. Sous ses pas, le sable avait fait place à une matière impalpable, une véritable cendre grisâtre, dans laquelle il enfonçait par instants jusqu'aux épaules. Il rebroussa chemin, cherchant un terrain plus ferme, zigzaguant dans le désert par les endroits où la cendre, arrivant à mi-jambe, permettait une marche plus aisée.

Fatigué, il s'astreignit à un court repos tous les cinq cents pas. Il se dirigeait par de longs détours vers la chaîne montagneuse qu'il apercevait à l'horizon. Petit à petit, après des chutes épuisantes dans les creux emplis de cendre, il la vit se rapprocher. Il décida de faire étape au pied des premières collines. Déjà, des masses rocheuses, de plus en plus nombreuses, dépassaient de la mer de poussière.

La sueur coulait, imbibant ses vêtements sous le scaphandre, et lui donnant la sensation désagréable d'être enveloppé de linges humides. En contournant un roc, il glissa, tomba sur le dos et resta un instant allongé, les tempes battantes et le souffle court. Il regarda le ciel et ce qu'il vit l'intrigua. Parmi les étoiles, l'une d'elles paraissait changer de place. Il la vit grandir à vue d'œil et reconnut une fusée brillante. L'appareil se dirigeait droit sur lui. Se relevant péniblement, Jâ se mit à faire de grands signes.

A cet instant, un roulement de tonnerre venu des profondeurs du sol fit vibrer son scaphandre. Le jeune homme vacilla sur la surface de la Lune qui ondulait comme une mer. Des nuages de cendres montaient autour de lui. Un grand rocher trembla sur sa base et s'abattit. La fusée passait la crête montagneuse, lorsque brusquement une colonne de feu monta dans l'espace et la culbuta au passage. Puis une autre masse de gaz enflammés jaillit d'un sommet, puis une autre encore. Toute la chaîne de volcans entra en éruption. D'énormes blocs de pierre commençaient à bombarder le sol autour de Jâ. Une nuit profonde voila la lumière du Soleil. Avant qu'elle fût totale, Jâ Benal eut le temps de voir une montagne s'ouvrir en deux et vomir un fleuve de laves rougeoyantes. Courbé en deux sous une pluie de projectiles, il revint sur ses pas, s'éloignant le plus possible du cataclysme. Il ne vit pas arriver sur lui le torrent de laves qui l'emporta comme un fétu.

Mox se démenait devant un clavier compliqué de touches métalliques. Il appuya sur une touche.

– Hein ? En éruption ? La fusée perdue ?...

Il tourna les yeux vers sa sphère, un point brillant scintillait devant la chaîne Pluton.

– Envoyez les fusées X 4 et X 5 par l'est. Il le faut vivant, vous entendez ! Reliez-moi en direct aux fusées... Bon, j'attends... Oui ? Continuez !

Une voix nasillait dans ses écouteurs.

– ... Passons la vallée d'Enfer. Le Mont Circé en vue. Plaine des Cendres en vue. Obscurité totale, impossible de repérer à l'œil nu la chaîne Pluton. Descendons altitude cinq cents mètres, deux cents, cent. Impossible alunir pour l'instant, la lave inonde tout.

Mox donna un violent coup de poing sur le bord du clavier.

– Passez vos scaphandres et alunissez le plus près possible de... (il tourna la tête vers la sphère) de 119-10.

Il écrasa une touche.

– Envoyez X 6 et X 7 en renfort sur le sud, reliez-les-moi en direct... Hé ! Attention aux instructions spéciales, hein !

Il ronchonna tout seul.

– 119-10... Comme précision ! Un carré de cinq kilomètres de côté !

Les écouteurs nasillèrent.

– Quoi ? 119-10 entièrement submergés ! La lave est fluide ? Pas trop ! Eh bien, entrez-moi là-dedans et cherchez !

Son pied appuya sur un bouton sous la table.

– Venez prendre ma place, Step !

Un homme entra sans une parole et s'installa sur le siège que Mox laissait libre.

– Je prends X 8, j'y vais moi-même. Gardez le contact, dit Mox.

Il sortit de la pièce et monta dans une espèce de boîte cylindrique en matière transparente. Il était à peine installé que la boîte monta, libérée de toute pesanteur. Le plafond de la pièce s'ouvrit comme par magie et la boîte de verre bondit dans l'espace. Elle fila pendant deux minutes et redescendit sur un vaste toit plat. Le toit s'ouvrit à son approche et se referma derrière elle. Mox sauta du petit appareil. Un homme s'approcha.

– Parez-moi X 8, et que ça saute ! dit Mox en marchant à longues enjambées devant l'homme qui courut vers un attirail de manettes et de boutons accroché comme une panoplie sur le mur.

Le subalterne tira une manette marquée X 8. Une espèce de monte-charge déposa immédiatement devant Mox une fusée en forme d'œuf métallique très brillant, de trois mètres de haut. Mox entra par une petite porte et la fusée décolla immédiatement. Quelqu'un de non prévenu, qui aurait tourné la tête une seconde, n'aurait eu le temps de s'apercevoir ni du départ, ni de l'ouverture et de la fermeture presque simultanées du plafond au passage de la fusée.

Celle-ci prit rapidement de l'altitude et fila vers le nord-ouest. Les commandes étaient aussi simples que le tableau de bord se montrait compliqué. A plat ventre sur les sangles magnétiques, Mox pilotait à l'aide d'une simple tige de métal reliée au plancher par une rotule. Mais, autour de cette attache, luisait un fouillis de cadrans de toutes grosseurs, que l'homme consultait de temps en temps d'un rapide coup d'œil. Bientôt l'appareil fut durement secoué. Mox tira la commande sur lui et se sentit monter à toute vitesse. Très loin, vers le bas, il distingua des lueurs rougeoyantes. Il franchissait la chaîne Pluton. Au bout de quelques secondes, il regarda un écran circulaire où deux points lumineux se rapprochaient. Quand les deux points se confondirent, il poussa le levier en avant et la fusée plongea vers la Lune.

Quand elle s'immobilisa, il lâcha les commandes et passa rapidement un scaphandre. Ce n'était qu'une simple combinaison lâche, l'enveloppant de la tête aux pieds. La trame de l'étoffe était constituée par un quadruple réseau de tubes capillaires très fins parcourus par la circulation rapide d'un liquide qui fournissait automatiquement le froid ou le chaud suivant la température extérieure. Devant son visage l'étoffe était plus raide et absolument transparente. L'énergie nécessaire venait d'une simple boîte, grosse comme une pile de poche, attachée sur sa poitrine. Le vêtement, d'un fonctionnement quasi biologique dans sa complexité, lui laissait une entière liberté de mouvements. Mox se munit d'un objet ayant la forme et la taille d'une bouteille et sortit de l'appareil.

Son scaphandre gonfla autour de lui comme une outre sous l'effet du vide. Il enfonça jusqu'au genou dans la cendre grise. Il pointa vers le sol l'extrémité effilée (le goulot) de son bizarre engin et regarda l'écran placé à l'autre bout. Il se mit en marche. Deux points lumineux s'écartèrent sur l'écran. Il obliqua vers la droite, les deux points lumineux s'écartèrent un peu plus rapidement. Il alla vers la gauche, les deux points se rapprochèrent. Mox enjamba des rocs, glissa dans un trou, avança péniblement, presque entièrement plongé dans la cendre. Il dut porter son écran tout près de ses yeux pour le distinguer. Les deux points se rapprochaient toujours. Il sentit bientôt qu'il marchait dans une matière pâteuse qui retenait ses jambes à chaque pas, jeta un regard à ses pieds et se vit patauger dans la lave. Il y fut bientôt jusqu'à la taille et dut brasser largement devant lui pour avancer plus vite. Il traçait un large sillon rougeoyant sur la boue ardente. Sur l'écran, les deux points lumineux se touchèrent presque. Mox distingua des lumières et rencontra une dizaine d'hommes qui fouillaient la lave.

– Eh bien ? demanda-t-il.

L'un des chercheurs lui dit quelque chose ; on voyait ses lèvres bouger derrière la vitre. Mais Mox n'entendait rien. Agacé, il porta la main à son oreille et comprit qu'il avait oublié son olive acoustique, dans sa hâte. Il désigna le sol. L'autre acquiesça de la tête et fit ensuite un geste d'impuissance. Mox se baissa et plongea les bras dans la lave, il tâta au fond et ne sentit que le plat du roc. Il interrogea l'homme du regard. Celui-ci lui fit comprendre par signes que la table rocheuse, d'une immense surface, n'offrait aucune solution de continuité.

Mox considéra pensivement son écran : il n'y vit plus qu'un seul point lumineux. « Et pourtant, il est là, se dit-il, juste en dessous. Et vivant ! Puisque les bio-ondes continuent d'arriver. » Il fit un geste de lassitude et retourna vers sa fusée.

12

Jâ avait été roulé dans un infernal torrent de roches fondues. Il s'était senti entraîné à toute vitesse et n'avait eu que le temps de pousser son réfrigérateur au maximum. Malgré cette précaution, une chaleur suffocante régnait à l'intérieur du scaphandre. Aucun homme avant lui, certainement, n'avait dû connaître une pareille aventure. Si certains l'avaient subie, aucun ne l'avait vécue. A travers la paroi de son casque, il avait l'impression de contempler de tout près l'intérieur d'un four chauffé à blanc. Des grumeaux éblouissants s'écroulaient les uns sur les autres autour de lui dans une débâcle silencieuse, tandis qu'il tournoyait comme une épave. Il lui sembla soudain que la vitesse s'accélérait prodigieusement et un choc fit retentir le scaphandre. Se félicitant que celui-ci ait été conçu pour subir les pires épreuves, il eut l'impression d'être coincé contre un corps solide par la pression de la lave. Ses bras explorèrent autour de lui. Un mur de roc l'empêchait d'aller plus loin. Il se hissa le plus haut possible, toucha un plafond inébranlable : le roc surplombait. Alors, il lui fallut se contraindre à des gestes calmes pour ne pas perdre son sang-froid. Un sourire artificiel crispa sa bouche tandis qu'il se répétait à haute voix :

– Voyons, aucune raison de s'inquiéter. Mon scaphandre est une merveille de perfection. Je ne cours aucun danger. Ma situation est particulièrement excitante.

Le fleuve de lave continuait à couler devant lui avec une telle force qu'il lui fut impossible, malgré ses efforts, de vaincre le courant. A chaque fois qu'il essayait de sortir de l'espèce de grotte dans laquelle il était prisonnier, il se sentait violemment repoussé en arrière. Il fallut se résigner à l'attente. Se laissant couler, il s'accroupit sur le sol dur et patienta pendant des heures qui lui parurent des siècles.

Enfin, la nappe brûlante qui l'enveloppait sembla stagner. Jâ avança lentement dans l'enfer, frôlant de son gantelet levé le plafond de sa prison. Celui-ci parut s'élever. Bientôt sa présence ne fut plus perceptible mais, en admettant qu'il s'arrêtât là, Jâ n'en était pas plus avancé. Il était impossible de remonter, la viscosité de la lave retenant le scaphandre en bas. Jâ se résigna à avancer au hasard. Penché en avant, il poussait fortement des semelles sur le sol, tandis que ses bras effectuaient un mouvement de brasse au ralenti.

Une pensée l'effraya : et si la lave se solidifiait ? Certes, la rapidité du torrent qui l'avait emporté indiquait qu'il était formé de laves basiques, devant en principe rester très longtemps fluides. Mais si la nuit tombait sur cette région de la Lune, la surface pouvait très bien se figer sous l'action d'un froid terrible de moins cent degrés. Et il serait condamné à une mort lente dans une poche de feu, sous une gangue de roc : un fossile idéal à découvrir pour les générations futures.

Sous l'action de la fatigue, ses gestes devenaient plus lents. Quoique cette idée fût absurde, il s'imagina que la lave devenait pâteuse et lutta pour avancer le plus vite possible et trouver une issue quelque part. Sa marche provoquait des remous donnant naissance à de grosses bulles gazeuses, de l'hydrogène sulfuré sans doute, qui lui montaient le long des jambes.

Bientôt, il entendit crever ces bulles au-dessus de lui et en déduisit que la surface n'était pas loin. Redoublant d'ardeur, il parvint à grimper sur un renflement plus élevé du sol et son casque émergea. A cet endroit, la lave beaucoup moins liquide le retenait de toutes parts. Il eut à fournir de gros efforts pour s'extirper de la pâte gluante et réussit enfin à en sortir en faisant craquer des croûtes solides dans une poussée désespérée. Une fraîcheur délicieuse envahit le scaphandre. Mais elle se mua rapidement un un froid vif et Jâ coupa son réfrigérateur. Il s'étendit à quelques mètres de la coulée infernale et reprit son souffle.

Quand il fut plus calme, il se gorgea de Drinil et absorba deux pastilles. Il s'assit et alluma son phare

pour observer les environs, car la nuit était très sombre. Sa déception fut vive de se trouver dans une grotte spacieuse. Une fatalité le ramenait toujours à explorer les entrailles de la Lune, alors qu'il n'aspirait qu'à la surface.

Il regarda la lave dont il était sorti, qui paraissait former un bouchon à l'entrée de la grotte et un phénomène qui lui avait échappé le frappa. Des bulles s'en dégageaient et montaient vers les hauteurs. Et celles-ci ne se dégageaient pas seulement de la lave mais prenaient également naissance aux endroits qui voisinaient avec celle-ci. Jâ comprit qu'il était dans une poche d'eau, et non dans le vide ou l'oxygène. Et cette eau bouillait au contact des matières surchauffées vomies par le volcan.

La chose était normale d'ailleurs car, si la lave avait rencontré des gaz ou du vide, elle aurait envahi la grotte sans difficulté, alors que l'eau avait constitué un barrage efficace.

Il fallait sortir de là. Les parois étaient assez accidentées pour permettre une ascension. Jâ monta lentement, profitant des moindres aspérités. Par endroits, la tâche était relativement facile. A d'autres places, le jeune homme manqua plusieurs fois de glisser par le fond et de perdre ainsi le chemin parcouru. Il lui sembla bientôt que le liquide qui l'entourait devenait verdâtre et opaque et s'ahurit de constater qu'il se trouvait vraisemblablement dans une poche pétrolifère.

« Ce serait la preuve qu'il a existé des mers sur la Lune, se dit-il. » Il continua son ascension à tâtons, gêné par l'opacité et par la viscosité qui rendait les roches très glissantes. Enfin, il émergea. La peine de persévérer lui fut épargnée. Un craquement terrible ébranla le sous-sol lunaire. Jâ retomba dans le liquide, accompagné de gros blocs de roche. Il se sentit tournoyer, puis aspiré par un courant ascendant, fut projeté par une force terrible dans l'espace. Il jaillit à une trentaine de mètres au-dessus de la surface, soulevé comme une plume par un puissant jet de pétrole, et retomba lourdement dans l'épaisse couche de cendres qui amortit sa chute. Le sol frémit encore deux ou trois fois, sans que Jâ s'en effrayât le moins du monde, ayant subi de plus terribles épreuves qui l'avaient vacciné contre la peur.

Il fut aussitôt entouré d'êtres revêtus de combinaisons gonflées comme des ballons. Il s'inquiéta sur le moment, mais reconnut des visages humains derrière la membrane transparente qui protégeait leur figure. Il leur fit un signe de la main, voulut se redresser et réprima un gémissement ; sa jambe gauche ne le portait plus, sans doute brisée dans la chute. Il se laissa traîner dans un bizarre appareil en forme d'œuf et s'évanouit.

13

– Mon rôle est terminé, dit Mox à l'Excellence. Ça n'a pas marché tout seul. Ce type a une chance extraordinaire. Pensez qu'il est resté quatre jours sous la lave. Son casque de quintuplex a dû mollir à la chaleur, il était tout gondolé. Une petite fissure et c'était la mort immédiate.

– Finalement, il a tout de même accompli ses quinze jours d'épreuve, quoique nous fussions résolus à les lui épargner, dit pensivement l'Excellence. Dans un sens, cela simplifie nos projets. Quand il connaîtra le règlement, il ne s'étonnera de rien et n'aura pas à se poser de questions, à se demander pourquoi nous tenions tant à l'épargner. La petite mise en scène destinée à lui cacher la loi des quinze jours n'a plus de raisons d'être.

L'Excellence se tourna vers Tem.

– Eh bien, Citoyen, tout est-il organisé de votre côté ?

– Tout est prêt, Excellence, quand il sortira de la clinique, il trouvera chez lui la plus belle femme de la Lune. J'ai eu du mal à lui dénicher une personne à la fois sensationnellement jolie et parfaitement intelligente. C'est une femme de nos services, naturellement.

– Qui est-ce ?

– Nira Slid.

Le gros homme fronça les sourcils.

– Nira Slid ? dit-il pensivement.

– Oui, Excellence, agent A.E.712. Une blonde magnifique, fille de Gome Slid, mort l'an dernier dans l'accident du cirque 13.

– Ah, oui, parfaitement ! dit l'Excellence. Votre choix n'est pas mauvais.

– D'autre part, Jâ Benal m'aura pour voisin immédiat. Je jouerai le jeu comme vous me l'avez demandé.

Un son perlé retentit dans la pièce.

– Entrez, dit l'Excellence.

Son secrétaire parut.

– Des nouvelles de Jâ Benal, Excellence.

– Eh bien ?

– Sa jambe verdit.
– Au nom du ciel, que dites-vous là ?
– Le Professeur en personne est en communication. Si vous voulez lui parler...
– Transmettez vite.
Le secrétaire sortit. L'Excellence appuya sur un bouton. Un homme au visage strié de rides profondes apparut sur l'écran situé sur une cloison.
– Eh bien, Professeur ? Que m'annonce-t-on ?
– C'est vrai, Excellence. Cette fracture était ouverte ; on voit la jambe verdir d'heure en heure. J'ai tenu à vous le faire savoir. Je crois que vous teniez à la vie de cet homme.
– Si j'y tiens ! s'exclama le gros homme en s'approchant de l'écran, mais nous devons tous y tenir ! De la vie de Jâ Benal dépendent peut-être les destinées de notre civilisation. Professeur, je vous conjure de mettre tout en œuvre pour le sauver.
– Je...
– Je sais ce que vous voulez dire. On ne guérit pas de la trichocystie. Eh bien, vous vous trompez. Pardonnez ma brutalité, mais il faut dire : on n'a encore jamais guéri de la trichocystie. Jâ Benal sera le premier rescapé de cette maladie. Professeur, il le faut. Vous nous avez déjà donné des preuves de génie. Soyez digne de votre passé.
Un mince sourire détendit les traits du vieux savant.
– Vous n'aviez pas besoin de prononcer cette dernière phrase, Excellence. Il y a longtemps que je ne suis plus sensible à la vanité. Mais je comprends votre inquiétude. Sachez que je vais tenter l'impossible.
– Merci, Professeur, je vous fais confiance.
Le visage du savant s'effaça de l'écran.

Le professeur Kam sortit de son bureau et enfila un couloir. Il pénétra dans une petite chambre où Jâ Benal était allongé sur un hamac translucide. Il regarda son malade.

– Eh bien, mon ami, comment vous sentez-vous ?

– Parfaitement bien, Professeur. Vous m'avez drogué, ou quoi ? Je ne sens plus du tout ma jambe.

Le professeur Kam pinça fortement le genou de Jâ.

– Je vous fais mal ?

– Absolument pas.

Il remonta un peu plus haut.

– Et là ?

– Non plus !

– Bien, bien. Reposez-vous, mon petit. Et ne vous en faites pas.

– Si vous croyez que c'est facile ! Avec votre contention magnétique, je ne peux plus du tout remuer à partir des genoux. J'ai un tempérament actif, moi. Je n'aime pas être malade.

– Il faut m'obéir, si vous voulez guérir vite.

– Écoutez, Professeur, pourquoi ne pas soigner les fractures comme font les Terriens ? Une simple gaine de méthacryl et on peut marcher tout de suite ! Je ne veux pas dire du mal de la médecine lunaire, et votre machin magnétique, là, je ne sais plus comment vous appelez ça... c'est très ingénieux, mais on ne peut se lever qu'au bout de huit jours.

– Laissez-vous faire, mon ami, les fractures ouvertes donnent lieu, sur la Lune, à des complications assez graves, quelquefois. Notre thérapeutique est justifiée, croyez-moi.

Le savant tira un petit tube de la poche de son maillot collant. Il y prit une pilule.

– Tenez, avalez-moi ça. Vous aurez de jolis rêves qui vous feront oublier vos soucis.

Il fit à Jâ un signe amical et sortit. Il revint dans son bureau, s'installa derrière sa table et pressa un bouton. Une voix parla :

– Ici, laboratoire d'enmicrobainie.

– Ici, professeur Kam. Où en sont vos essais en cabine ?

– Nous avons eu quelques difficultés, mais nos ingénieurs ont réussi à les surmonter. Tenez-vous bien, Professeur, ce matin, nous avons réussi à réduire une cabine contenant dix homme à la taille de deux microns.

– C'est le miracle que j'attendais. Pas d'accident ?

– Un incident, tout au plus. L'un des volontaires a perdu connaissance pendant le retour. A part lui, les autres ont très bien supporté l'expérience.

– Dites à votre patron que j'aimerais le voir rapidement.

– Ne quittez pas, Professeur.

Le savant attendit quelques minutes. Une grosse voix de basse se fit entendre.

– Ici Terol, comment va, Kam ? Vous vouliez me parler ?

– C'est important, Terol ! On vient de me dire que vous avez réduit une cabine à deux microns, ce matin.

– Qu'est-ce que vous dites de ça ?

– J'admire, mon vieux, j'admire sans comprendre, je ne suis pas physicien. Félicitations !

– N'en jetez plus !

– Mais il se trouve que l'application pratique de vos expériences m'intéresse, sur le plan médical. Excusez-moi si ma question est idiote, et dites-moi, pouvez-vous réduire une cabine de n'importe quelle forme ?

– Comment ça ?
– Les vôtres sont cubiques. Vous serait-il possible de réduire des cabines de forme ovoïde, par exemple ?
– Du moment qu'elle est construite en stillite, je peux vous réduire une cabine de n'importe quel aspect : en forme de poire, de verre à dents ou de bigorneau, peu importe. Pourquoi me demandez-vous ça ?
– J'ai un essai à tenter sur un cas désespéré. Pourrions-nous nous voir ?
– Bien sûr, Kam ! Je vous attends tout de suite si vous voulez.
– Merci, mon vieux. J'arrive !

14

Cinquante étudiants en médecine étaient assemblés dans l'amphithéâtre. A l'entrée du professeur Kam, ils se levèrent respectueusement. Celui-ci avait le visage fatigué, ayant travaillé deux nuits de suite avec le physicien Terol à établir les plans d'une cabine à usage médical.
– Asseyez-vous, mes enfants, dit-il d'une voix faible due à son grand âge.
Les étudiants obéirent. Le professeur resta debout un bon moment à les considérer. Enfin, il parla.

– Mes amis, laissez-moi d'abord vous dire que le spectacle de votre jeunesse fait plaisir à voir. Vous avez tous le regard enthousiaste de ceux qui commencent leur vie. Je peux me permettre de vous parler avec cette bonhomie paternelle, puisque le plus âgé d'entre vous dépasse à peine quarante ans. Je devine que vous vous demandez où je veux en venir. Eh bien, voilà...

« Je vous ai choisis parmi les plus doués parce que j'ai besoin de vous pour une mission de confiance. J'ai pour vous un travail qui sort de l'ordinaire, un véritable travail de gladiateurs, où vous aurez besoin de toute votre force physique. Ne vous demandez pas si je deviens fou et mettez-vous bien dans la tête que je vais vous former en véritable commando. Vous allez être transformés en chevaliers de légende pour affronter des monstres redoutables. Prenez mes paroles au sens propre.

« Vous devez penser que j'aurais pu m'adresser à des soldats de métier pour cette tâche. Eh bien, non ! Il importe que ma petite armée soit constituée de médecins, car les monstres que vous serez chargés de détruire seront des microbes géants. Le théâtre des opérations sera le corps d'un malade. Je m'explique :

« Vous connaissez tous la chlorotrichocystie, seule maladie lunaire que notre science n'ait pas encore vaincue. Vous connaissez la raison de cet échec. L'agent de cette maladie, la trichocyste, est protégé des attaques leucocytaires par une membrane graisseuse non saponifiable. D'autre part, il provoque un chimiotactisme négatif : les leucocytes le fuient comme la peste et laissent se faire l'invasion.

« Une méthode, simple en laboratoire, consisterait à blesser la membrane protectrice des microbes, afin que les globules blancs puissent les attaquer facilement. Encore faudrait-il que le chimiotactisme négatif disparût...

Le professeur parla longtemps. A mesure que la conférence avançait, les visages devenaient plus tendus.

– Voilà pourquoi, mes amis, j'ai été conduit à adopter une thérapeutique nouvelle qui va assimiler votre travail de médecins à celui de chasseurs de fauves. Vous serez divisés en cinq groupes de dix, plus un physicien chargé de manœuvrer la cabine que nous avons mise au point, le professeur Terol et moi. Chaque groupe aura une cabine à sa disposition. Vous serez réduits chacun à la taille approximative de deux microns, ce qui vous permettra d'attaquer au corps à corps les micro-organismes.

« Maintenant, je vais vous familiariser avec l'aspect de vos ennemis. J'ai fait installer par le professeur Terol une section d'enmicrobainie attachée à la faculté. Un groupe de ses élèves a capturé pour nous un trichocyste dans la lymphe du malade et l'a ramené dans notre monde, c'est-à-dire à notre échelle. Venez avec moi.

Le professeur Kam sortit de l'amphithéâtre, suivi de ses étudiants, dans un brouhaha de voix excitées. Il pénétra dans une vaste salle au milieu de laquelle trônait une espèce d'immense aquarium. Tout le monde fit cercle autour ; quelques physiciens de l'équipe du professeur Terol étaient présents.

– Voilà le monstre, dit le Professeur.

Dans le liquide ambré, un être inquiétant s'agitait en tous sens, une espèce de serpent annelé d'une dizaine de mètres de long, de vingt-cinq centimètres d'épaisseur, dont la tête était formée d'une pointe effilée en forme de clou. Il se tortillait, visiblement irrité, et faisait résonner l'épaisse paroi de l'aquarium sous ses coups de pointe.

– Vous avez là un trichocyste géant dans une goutte de macrolymphe. C'est ainsi que vous le rencontrerez dans le corps du malade. Ce serait un adversaire redoutable si vous deviez l'aborder sans protection. Mais vous serez revêtus de scaphandres et munis d'armes blanches, les seules utilisables en raison des ravages que vous pourriez occasionner dans l'organisme du malade avec des moyens plus modernes.

Le Professeur s'approcha de l'aquarium :

– Voyez, dit-il, les deux lymphocites morts qui reposent sur le fond.

Deux masses hyalines gisaient en effet. On distinguait très bien leurs gros noyaux arrondis. Elles avaient au moins sept mètres de diamètre.

– Et maintenant, mes enfants, il est indispensable que je vous donne l'exemple. Vous allez me voir combattre cette chose. Qu'on m'apporte un scaphandre.

L'un des étudiants protesta :

– Non, Professeur, ce n'est pas indispensable. Vous êtes là pour nous diriger, non pour mettre la main à la pâte.

– Merci, mon petit, je sais très bien qu'au point de vue pratique, je prends un risque inutile. Mais moralement, cette démonstration est nécessaire. Je ne pourrai pas vous accompagner dans votre microvoyage. Il faut donc que votre général en chef prouve physiquement qu'il est digne de vous commander.

Il revêtit lentement le scaphandre que lui présentait un physicien, saisit une espèce de lame d'acier pourvue d'une poignée et la brandit.

– Cette arme est très primitive, dit-il. Il y a des milliers d'années, elle portait le nom de glaive. Les anciens hommes de la Terre ne connaissaient guère d'autre moyen de combattre.

Il grimpa l'échelle qui menait en haut du bocal et se laissa tomber dans la macrolymphe.

Le trichocyste, surpris, se replia dans un angle. Puis, lentement, avança sa tête pointue vers Kam qui l'attendait, le glaive haut. Brusquement, le monstre fonça et sa pointe heurta violemment le scaphandre en pleine poitrine. Kam tomba en arrière, non sans décocher à la bête un violent coup de tranchant à la jonction de la tête et du corps. Le trichocyste recula de nouveau, ce qui laissa au Professeur le temps de se relever sur un genou. Changeant de tactique, l'homme attendit dans cette position la deuxième attaque. Celle-ci ne tarda pas : le trichocyste se détendit brusquement en avant, mais sa pointe glissa sur le casque baissé de Kam, et dépassa celui-ci de trois mètres. Kam avait à sa portée le long corps annelé. Il se leva rapidement, et à deux mains, porta un coup terrible qui coupa en deux le trichocyste. Les deux tronçons, agités de mouvements spasmodiques, coulèrent au fond du bocal.

Les étudiants poussèrent un hourra triomphal, tandis que le Professeur se laissait hisser hors de la cuve par des poignes solides.

Il retira son casque. Son visage était pâle, il haletait :

– Ces jeux de cirque ne sont plus de mon âge, dit-il d'une voix faible, dans un sourire... Je suis heureux de voir notre Faculté rajeunie par le sport. Cela doit vous changer de l'austérité habituelle des cours, jeunes gens !

« Eh bien ! vous avez vu : équipés comme vous allez l'être, vous ne courrez pas de grands dangers devant ces stupides animeux. J'attire votre attention sur le fait que je me suis gardé de toucher les parois de la cuve. Vous aurez à prendre les mêmes précautions, car les limites de vos combats seront constituées par les organes d'un homme.

« Vous n'aurez pas besoin non plus de tuer chaque monstre ; contentez-vous de les blesser et laissez-les achever par les leucocytes. Ces derniers seront vos alliés, car la surface extérieure de vos scaphandres sera enduite d'un protoplasme d'une formule analogue au leur, et vous n'aurez rien à craindre d'eux. Je suppose que ma petite exhibition de tout à l'heure a provoqué chez vous certaines remarques que vous hésitez peut-être à formuler. Quelqu'un a-t-il une question à poser ?

– Ce trichocyste était diablement rapide ! lança un étudiant.

– Voilà la remarque que j'attendais, dit Kam. Il est évident qu'un trichocyste normal a des mouvements plus lents. Mais j'ai injecté au malade une solution d'un produit qui fera l'objet d'un prochain cours. Malheureusement, cela a profité également aux hôtes indésirables de notre patient. Vous savez qu'un leucocyte met une bonne heure pour englober un microbe banal. Dans votre prochaine aventure, vous verrez évoluer autour de vous des globules blancs déchaînés, aux mouvements aussi rapides que ceux de ce monstre que je viens de couper en deux.

« Mes enfants, il importe qu'aujourd'hui même vous ayez combattu chacun un trichocyste géant. Cela vous fera la main et vous évitera d'être trop nerveux quand vous entrerez réellement en action.

« Nos amis physiciens, ici présents, vont vous livrer aux fauves l'un après l'autre. Amusez-vous bien ! Mais n'oubliez pas d'être tous présents demain matin à mon cours. Vous aurez besoin d'instructions détaillées.

15

Dans la vaste salle, cinq gros œufs transparents étaient posés sur le sol à égale distance les uns des autres. Devant chaque appareil, un physicien en scaphandre attendait, le casque à la main. Le professeur Terol marchait de long en large devant eux, apparemment nerveux. Plus loin, des ingénieurs s'affairaient autour d'une grande table métallique surmontée à angle droit d'un écran de même taille. Terol s'arrêta devant eux.

– Ça ira ? demanda-t-il.

– Encore dix minutes, dit l'un d'eux avant de se replonger dans d'invraisemblables nœuds de fils électriques.

A cet instant, le vieux Kam entra.

– Expérience extraordinaire, n'est-ce pas ? dit-il à Terol en lui serrant la main.

– Vous m'avez donné du mal avec votre écran, mon vieux, constata Terol. Il m'a fallu prévoir des isolateurs spéciaux pour éliminer les bio-ondes du patient qui auraient brouillé celles de vos étudiants.

« Le temps nous a manqué pour créer quelque chose de parfait, mais ça ira tant bien que mal. Il y a aussi le ralentisseur d'émission qui n'est pas très au point. Il serait impossible de comprendre la voix d'un homme de deux microns, même amplifiée. Les " Imprécations ", par exemple, prononcées par lui, nous arriveraient comme un très bref gargouillement inaudible. J'ai fait le nécessaire, mais nous les entendrons avec des voix solennelles et comiques d'émission défectueuse et trop lente. Inversement nos voix personnelles leur parviendront accélérées.

– Il faut absolument opérer aujourd'hui, dit Kam. Dans quarante-huit heures, les trichocystes vont sortir du réseau lymphatique et il sera bien difficile d'arrêter l'invasion.

Un à un, les étudiants pénétraient dans la salle et revêtaient leurs scaphandres. Un infirmier leur distribua des glaives, ce qui acheva de les transformer en paladins d'un autre âge. Bientôt, chaque cabine eut autour d'elle un groupe de onze hommes : dix médecins plus un physicien.

Terol s'adressa à ses élèves :

– Surtout n'oubliez pas, leur dit-il, réduisez le plus lentement possible à partir de deux mille au cadran et ne sortez de vos cabines sous aucun prétexte. Laissez faire les médecins.

– Rappelez-vous, dit Kam aux autres, de ne pas pénétrer dans un capillaire sanguin. Vous seriez entraînés je ne sais où par la circulation.

Il alluma l'écran surmontant la table d'opération. L'image grandeur nature d'un corps humain transparent apparut, montrant le réseau compliqué des vaisseaux et des nerfs.

– Je suivrai vos positions respectives sur cet écran. Chacun d'entre vous y figurera par un point lumineux, ce qui me permettra de vous donner des directives. Seuls, les cinq chefs d'équipe seront en relation orale avec moi, par radio. Leurs voix m'arriveront par ces cinq diffuseurs. Il est évident que si vous parliez tous à la fois, la confusion en résulterait...

Il hésita un instant, se perdit dans des pensées personnelles pendant quelques minutes.

– Je crois que c'est tout, les enfants ! Vous êtes tous assez bons anatomistes pour arriver facilement à vos postes. Je répète une dernière fois ; cabines I, II et III : vaisseaux afférents des ganglions inguinaux. Cabines IV et V : vaisseaux afférents des ganglions iliaques externes ! Je vous rappelle que la question d'éclairage ne se posera pas pour vous. Le corps du malade sera rendu entièrement translucide par transillumination.

« Allons-y !

Le professeur Terol s'avança.

– Que chaque équipe pénètre dans sa cabine ! ordonna-t-il. Mettez vos casques.

Les hommes obéirent. Les portes étanches claquèrent l'une après l'autre.

– Baissez le rideau !

Un ingénieur poussa une manette : une épaisse cloison de verre descendit du plafond et son bord inférieur se logea dans une rainure du sol coupant la salle dans toute sa largeur.

– Réduisez ! dit Terol dans un micro.

On vit les cabines rapetisser à vue d'œil, tandis qu'une lueur orangée se répandait autour d'elles.

Bientôt, elles ressemblèrent à des œufs d'autruche, puis à des œufs de moineau.

– Stop ! ordonna le physicien. Levez le rideau !

La cloison remonta. Le professeur Kam s'approcha des cinq petites boules fragiles. Il se baissa et en ramassa une avec précaution. Il l'approcha de son visage et distingua à l'intérieur onze petits hommes en scaphandre.

– Eh bien, équipe I, rien de cassé ? demanda-t-il dans le micro attaché à sa poitrine.

Une voix sortit du diffuseur numéro un, une voix lente et nasale qui continua de se faire entendre longtemps après que les lèvres d'un petit homme eurent fini de s'agiter.

– Ça va, Professeur. Nous suffoquons seulement un peu, mais rien de grave.

– Vous ressemblez à des fourmis !

– Je ne vous ai jamais vu de si près, Professeur. Votre nez est une véritable montagne, percée de deux tunnels insondables. Vous avez un duvet sur la narine gauche, perché comme un petit arbre sur un roc désert.

Tout le monde éclata de rire, Kam compris. Cette plaisanterie diminua un peu la tension de l'atmosphère.

Les cinq cabines furent rangées soigneusement dans des alvéoles percés à l'extrémité de la table d'opération. Le professeur Kam reprit son sérieux. Il pressa un bouton d'interphone.

– Amenez le malade !

Quelques instants plus tard, un jeune homme entra dans la salle, poussant devant lui un chariot où Jâ Benal gisait, profondément endormi. Deux infirmiers firent adroitement glisser le corps inerte sur la table. L'un d'eux badigeonna largement la région inguinale d'un liquide bleu.

– Inutile, voyons ! dit Terol. Le rayonnement va tout stériliser.

– C'est vrai ! constata Kam. Un vieux réflexe !

Kam, ganté jusqu'aux coudes, s'approcha de la table.

– Bistouri ! dit-il.

Un infirmier lui tendit l'instrument. Kam incisa obliquement l'épiderme sur un millimètre de profondeur.

– Précelles !

Il saisit délicatement la cabine I et la posa sur la légère blessure.

– Cabine I !

– Oui, Professeur ? dit le diffuseur.

– La profondeur est-elle suffisante pour que vous passiez ?

– C'est parfait, Professeur, la couche cornée et la couche de Malpighi sont ouvertes.

Le professeur se tourna vers Terol et lui fit un signe.

– Allez-y ! dit Terol.

Deux physiciens recouvrirent la région d'une cloche de verre sur laquelle se branchaient deux fils.

– Réduisez, dit Terol dans son micro.

La cabine diminua de grosseur, devint comme une tête d'épingle, disparut complètement.

– Ça va, cabine I ?

– Très bien, nous avons glissé au fond de l'incision. Au-dessus de nous, l'épiderme se présente comme une falaise stratifiée. On distingue des streptocoques géants, tués par votre antiseptique, avec une multitude de cristaux bleus et pyramidaux : toujours l'antiseptique. Nous sommes en plein tissu conjonctif.

– Avancez doucement, dit Kam, et parlez !

– Une nouvelle couche épithéliale se présente à nous... contournez cette espèce de truc, mon vieux !

– Comment ?

– Non, Professeur, je parle au pilote... Je continue : nous contournons une glande sébacée. Nous passons entre les cellules étoilées. Voilà les premiers leucocytes qui nagent autour de nous. On se croirait un peu au fond de la mer, une mer de teinte rosée. Nous évitons une fibre conjonctive... Obliquez ! Nous avons failli emboutir un corpuscule de Krause... Attention à l'artère ! Oui, mon vieux, c'est une artériole. Vous voyiez ça autrement ? Eh bien, c'est une occasion unique de vous instruire.

« Ah ! Voilà des fibres musculaires ; nous passons entre elles. Encore du conjonctif ! Les leucocytes sont plus nombreux. Encore du musculaire, mais beaucoup plus serré.

Le Professeur Kam fixa l'écran. Un point lumineux y avançait lentement.

– Vous êtes dans le muscle adducteur, le petit adducteur ! Ça passe ?

– Très bien ! Spectacle merveilleux ! Tout est rouge vif : le reflet des fibres striées !

– Ne soyez pas poète, continuez !

– Ah ! Voilà un lymphatique ! Stop !

La voix murmura à l'intention du pilote :

– Vous voyez cet espèce de jeu de patience de cellules claires. Avancez doucement à l'intersection, nous passerons là ?

Tout le monde avait les yeux fixés sur l'écran, le point lumineux paraissait presque immobile.

– Les cellules s'écartent ; nous passerons... ça y est, en pleine lymphe. Pas de trichocystes en vue.

– Remontez dans le sens de la lymphe, dit Kam, vous ne pouvez pas manquer le ganglion.

Le point lumineux accéléra un peu.

– Nous y sommes, Professeur ! Je reconnais le... Dieu, que c'est grand !... Nous cherchons un canal afférent. Là, mon vieux, là ! Stop !... Machine arrière. Bien ! Le premier couloir à droite. Ne vous occupez pas de ces globules, nous avons priorité. Coincez-vous dans cet angle. Là ! Nous nous sommes fixés sous une valvule, Professeur !

– Bon ! Restez-y et patientez. J'envoie la cabine II.

Kam s'assit un instant. Un infirmier essuya la sueur qui perlait à son front. Sans rien dire, Terol lui fit boie un gobelet d'un liquide doré.

– Merci, Terol ! C'est inouï, n'est-ce pas ?

Terol inclina la tête en silence. Kam se leva.

– Précelles ! dit-il.

La cloche de verre retirée, il plaça la deuxième cabine au même endroit que l'autre. On remit la cloche en place.

– Réduisez ! ordonna Terol...

16

Au bout d'une heure de travail, les cinq cabines avaient disparu. Cinq points brillants étoilaient l'aine gauche et l'abdomen de l'image humaine, sur l'écran.

Le professeur Kam se pencha sur son malade. La zone verte avait encore remonté le long de la cuisse de Jâ.

– Toutes les cabines, dit Kam, m'entendez-vous ? Répondez par vos numéros.

Les cinq diffuseurs se firent entendre l'un après l'autre.

– Eh bien, dit Kam, sortez de vos véhicules et remontez le courant lymphatique. Laissez les cabines où elles sont. Ne quittez pas vos chefs de groupe, vous devez rester groupés par dix. Chef de la cabine I, parlez seul ! Les autres, taisez-vous s'il n'y a pas urgence.

Chaque point lumineux se fractionna en onze plus réduits. Cinq restèrent immobiles, les autres descendirent lentement le long des vaisseaux lymphatiques.

– Ici, chef de cabine I. La progression est ralentie par les valvules que nous rencontrons tous les dix mètres... Je veux dire tous les vingt microns à peu près.

– Exprimez-vous en mètres, c'est plus vite dit et je comprendrai très bien.

– Il faut en quelque sorte ouvrir les valvules et tenir la porte au camarade suivant.

– Ne lésez rien, surtout.

– Pas de danger, Professeur. Nous revoilà dans le ganglion.

Le diffuseur émit un murmure confus ressemblant au bruit d'un torrent lointain et rythmé par des coups sourds.

– Qu'est-ce que c'est que ce bruit ? demanda Kam.

– Vous devez entendre les pulsations artérielles et le frottement des globules rouges que nous voyons passer à toute vitesse derrière la tunique translucide des capillaires ; ils se heurtent les uns aux autres, rebondissent comme de grosses assiettes de caoutchouc. Autour de nous, des leucocytes en abondance, on dirait de grandes méduses plates.

« Formés en file indienne, nous contournons des membranes conjonctives. Voici un vaisseau afférent...

– Ensuite ?

– Professeur, ils sont déjà là. J'en vois trois qui passent une valvule.

– Des trichocystes ?

– Oui. Ils frétillent, ils ont l'air en pleine forme. Mes camarades m'ont rejoint, nous allons attaquer.

Le diffuseur numéro trois parla :

– Trichocystes en vue, Professeur ! Nous attaquons.

Kam prit la parole.

– Allô, tout le monde ! Les groupes I et III sont au combat, vous allez bientôt tous vous trouver dans le même cas. Faites tout votre possible pour empêcher l'infection de gagner les ganglions situés derrière vous. Chef de groupe I, vous avez la parole.

– Oui... je... Excusez-moi, Professeur. Là, j'en ai un autre ! Nous faisons un véritable carnage. Mon camarade de droite se roule sur le sol, si j'ose dire, aux prises avec un monstre. Il le taillade à coups de glaive. Je distingue mal les autres. Je suis attaqué... Vous entendez le frottement des anneaux sur mon scaphandre... Je frappe...

– Courage, mon vieux, continuez. Je passe la parole au groupe III. Chef de groupe III, j'écoute.

– Ici chef de groupe III ! Nous sommes obligés de reculer sous leur poussée. Ils sont innombrables, par ici ; des débris de leurs cadavres passent à côté de nous, poussés par le courant lymphatique. Je... Professeur ! Une bonne nouvelle : les leucocytes ne fuient plus. Ils s'amassent autour des débris, les englobent... Oui, c'est ça, on voit des tronçons à demi digérés dans leurs vacuoles. Oh, mais... mais oui ! Les leucocytes attaquent, ils se collent à dix ou vingt à la fois sur les trichocystes, paralysant leurs mouvements ; ils attaquent même des trichocystes non blessés, Professeur ! Un anticorps a dû se former dans le plasma environnant. Les trichocystes reculent, maintenant. Les leucocytes font un travail magnifique. Il en arrive toujours, de partout. On les voit passer entre les cellules de la cloison ; ils rampent de tous côtés. Un trichocyste arrive vers moi, il s'agite en tous sens pour se débarrasser d'un leucocyte attaché à lui. Je le frappe... il... Aïe ! J'ai blessé le leucocyte...

– Ça va bien, mon petit. Laissez-les se débrouiller maintenant. Je crois que nous tenons le bon bout. Ramenez vos camarades à la cabine. Groupe I, où en êtes-vous ?

– Nous n'avons plus assez de liberté de mouvements à cause de l'abondance de leucocytes, ils attaquent...

– Je sais, je sais. Regagnez votre cabine. Groupe II ?

– Même situation, Professeur.

– Rentrez aussi. Groupes IV et V ?

– Même chose, Professeur.

– Rentrez !

Kam jeta un regard sur l'écran.

– Groupe V, où allez-vous vous fourrer ? Vous vous trompez de direction.

– Je crois que nous sommes perdus, Professeur. Le réseau capillaire est un véritable labyrinthe.

– Je vais vous guider. Revenez sur vos pas... A votre droite, maintenant...

Sur l'écran, un brillant pointillé dont chaque élé-

ment représentait un homme revenait lentement vers les ganglions iliaques. Les autres groupes étaient déjà rassemblés dans leurs cabines respectives.

– Non, groupe V, non. Pas par là. Revenez ! Stop ! Vous avez certainement des ramifications à votre gauche, vous alliez trop haut.

– En effet, Professeur. Nous corrigeons.

– Allez-y, maintenant ! Suivez le courant. Vous y êtes. Vous trouvez le canal afférent ?

– Le voilà, Professeur, tout va bien ! Oh, je vois un trichocyste. Je... Bon sang, Professeur, il m'a culbuté. Je suis sorti du capillaire ! Il me suit. Je suis empêtré dans une fibre élastique... Il m'a chargé de nouveau, il me coince contre un vaisseau sanguin. Je n'ai pas assez de place pour frapper. Il me pousse, je...

Le point brillant parut aller beaucoup plus vite.

– Bon sang, qu'est-ce que vous faites ?

– Il m'a précipité dans le vaisseau sanguin.

– Retenez-vous, bon sang.

– Je... je ne peux pas, le sang m'entraîne. Je débouche dans une grosse veine.

– Vous êtes dans l'iliaque externe, malheureux. Ne perdez pas votre sang-froid, laissez-vous aller, maintenant c'est ce que vous avez de mieux à faire. Vous voilà dans la veine porte.

17

Le chef du groupe V tournoyait dans le courant de plasma, heurté au passage par des dizaines de globules rouges. Il eut la présence d'esprit de serrer son glaive contre lui pour ne rien détériorer.

– Professeur, dit-il, je suis dans un labyrinthe de veines. Par transparence, je distingue des espèces de tuyaux verdâtres.

– Ce sont des canalicules biliaires, mon vieux, dit la voix du professeur dans les écouteurs. Vous êtes dans le foie. Laissez-vous toujours emporter. Vous sortez maintenant.

– Je vais très vite, ça me donne le vertige.

– Je vous crois, vous montez dans la veine cave. Faites très attention, vous allez arriver au cœur.

L'homme se sentit aspiré dans un gouffre. Il eut l'impression de tomber dans une immense caverne, étendit les bras et se raccrocha désespérément à une espèce de pilier souple. Agrippé, il tenta de résister au ressac qui le secouait durement toutes les secondes. La voix du professeur, comme venue d'un autre monde, lui vrilla les tympans.

– Qu'est-ce que vous fabriquez ?

Essoufflé, il répondit :

– Je n'en peux plus, professeur, je me retiens à ce machin.

– Lâchez ça, sacré nom ! Ce doit être une fibre de la tricuspide. Vous allez gêner les pulsations.

Il obéit et fut violemment chassé hors de l'organe dans un tunnel majestueux. Il passa à toute vitesse dans un embranchement vers la droite. Le courant ralentit de plus en plus, il se retrouva dans un capillaire et déploya tous ses efforts pour y rester. Il réussit à résister au flux de plasma et passa entre deux cellules de la cloison qu'il écarta de force comme deux plaques de caoutchouc. Mais les deux cellules se refermèrent sur lui, le serrant à la taille. Étourdi, il resta dans cette position.

Quand il eut un peu repris ses esprits, il s'étonna de ne plus entendre la voix rassurante qui le guidait. Il frappa son casque : peine perdue ! La radio ne marchait plus. Il examina les alentours. Tandis que le courant sanguin fouettait ses jambes dans le capillaire, la moitié supérieure de son scaphandre émergeait dans un énorme ballon qui se gonflait et se dégonflait régulièrement dans un bruit de tempête. De toutes parts, des vaisseaux se ramifiaient. Il remarqua que les globules rouges avaient une teinte beaucoup plus claire et comprit qu'il se trouvait dans un alvéole pulmonaire.

Soudain, une énorme détonation le fit sursauter, puis une autre ; une autre encore. Il prêta l'oreille. Quelque chose lui parut familier dans ce bruit, mais quoi ?

« Écoutez bien ! Écoutez bien ! »

Pourquoi cette phrase hantait-elle son esprit ? Les détonations continuaient. Et tout à coup, il réalisa que le professeur lui parlait en morse, sans doute en frappant la table d'opération avec un instrument, ce qui provoquait ces véritables coups de canon. Il écouta attentivement, épela des mots... « Laissez-vous aller dans le torrent circulatoire – Laissez-vous aller dans le torrent circulatoire ».

Reposé, il recula, repassa entre les deux cellules et fut emporté. Le supplice recommença. Roulé dans le plasma, bousculé par les hématies, pêle-mêle avec quelques leucocytes, il fila à toute vitesse, retomba dans une énorme artère qui obliquait vers la gauche. Impossible de savoir où il était entraîné. Au bout de quelques minutes, il fut jeté de dérivation en dérivation dans un nouveau capillaire. La voix du professeur Kam lui hurla « Stop ! » dans les oreilles. Les ingénieurs avaient dû réparer la radio.

– Tâchez de rester où vous êtes, mon vieux. On va aller vous chercher. Je vais ralentir localement le courant sanguin avec un vaso-constrictor. Vous serez plus à l'aise.

Le jeune médecin s'agrippa de toutes ses forces à la membrane d'une cellule épithéliale. Renouvelant la méthode d'immobilisation qui lui avait déjà réussi dans l'alvéole pulmonaire, il passa ses bras entre deux cellules.

– Dans quelle région suis-je arrivé, professeur ? questionna-t-il.

– Vous êtes à peu près entre les muscles grand et petit palmaires, à la partie moyenne de l'avant-bras droit. Ne bougez plus.

– Et mes hommes ?

– Quoi donc, vos hommes ?... Ah, oui ! Tranquillisez-vous, ils sont tous dans la cabine V, vous êtes le seul manquant.

Le professeur se sentait trempé de sueur de la tête aux pieds, sous son maillot collant. Il tourna vers Terol un regard éteint.

– Chaude alerte ! dit-il.

– Mais expérience passionnante ! Je me permets d'attirer votre attention sur la jambe du malade : la zone verte a diminué de trois centimètres en une demi-heure.

– Nom d'un !... Je l'avais presque oublié, c'est pourtant vrai. Ah ! Terol, mon vieux, je crois que nous avons gagné la partie. Mais ne laissons pas ces garçons se morfondre dans les abîmes d'un corps humain. Il est temps de les rapatrier dans le monde normal.

Un diffuseur parla.

– Ici Cabine I, nous ne nous morfondons pas du tout, Professeur, on ne se lasse pas d'un tel spectacle, vous savez !

– Il faut quand même revenir, mon petit. Étant donné les immenses perspectives que l'invention du citoyen Terol ouvre à la science, vous n'avez pas fini de faire des voyages semblables. Puisque la chose a l'air de vous plaire, c'est votre cabine que je vais envoyer au secours de votre camarade...

« Commençons : Cabine I, parée pour la remontée ?

– Oui, Professeur.

– Descendez lentement vers le ganglion.

– Nous y sommes !

– Prenez un vaisseau afférent.

Sur l'écran, le point lumineux commença à voyager.

18

Kam approcha son pistolet de verre à deux centimètres de la cuisse de Jâ Benal. Il appuya sur la gâchette : le canon transparent se remplit lentement de sang que le Professeur vida dans une éprouvette. Il fit des prises de sang à différents endroits du corps du malade : au foie, aux reins, au cœur, aux aisselles. Quand l'éprouvette fut pleine, il la plaça dans un appareil et appuya sur une pédale. Un petit tube descendit au fond de l'éprouvette et pompa lentement le liquide.

L'appareil était muni sur l'une de ses faces d'un écran de trois mètres de côté. Le Professeur y examina le sang dilué de Benal qu'on voyait défiler au ralenti, considérablement grossi. Quand l'écran s'éteignit, Kam se tourna vers le jeune homme.

– Eh bien ! jeune Terrien, vous voilà complètement guéri. Vous revenez de loin.

– A qui le dites-vous, Professeur ! Les gôrs, les monstres, les volcans, et puis maintenant les tricho... machins.

– Trichocystes ! C'étaient les plus dangereux, croyez-moi.

– Je vous suis infiniment reconnaissant.

Le Professeur haussa légèrement les épaules et détourna les yeux.

– Vous allez sortir, dit-il, et essayer de vous adapter à une vie différente de tout ce que vous avez connu jusque-là.

– Vous savez, en fait de surprises, je suis vacciné, maintenant. Rien ne peut plus m'étonner.

Le Professeur lui tendit un papier.

– Qu'est-ce que c'est que ça ? dit Jâ.

– Montrez ça à la sortie de la clinique, c'est votre laissez-passer.

Le vieil homme tendit la main. Jâ la lui serra vigoureusement, puis il marcha vers la porte. Au dernier moment, il se retourna vers le savant.

– Dites-moi, Professeur, demanda-t-il d'un air gêné, d'après votre âge, vous n'êtes certainement pas Lunaire d'origine. Pourquoi vous a-t-on exilé ?

Le Professeur eut un haut-le-corps et devint très rouge, il garda le silence quelques secondes, puis se calma et sourit.

– Mon Dieu, je suis blasé de bien des choses et après tout, je ne verrais aucun inconvénient à vous le dire. Mais sur la Lune, ça ne se fait pas. C'est noté sur ma fiche personnelle dans les archives du Conseil, mais personne d'autre ne le sait. Ne posez jamais cette question autour de vous ; c'est un des principes de la politesse lunaire. Vous aurez à signaler la raison de votre propre exil sur le questionnaire qu'on vous remettra d'ici peu, sous pli fermé. Mais personne ne vous demandera plus jamais rien.

Jâ Benal baissa les yeux.

– Excusez-moi, Professeur, je ne savais pas.

Kam fit un petit geste signifiant que la chose n'avait aucune importance. Jâ inclina brièvement la tête et sortit.

Il passa dans la pièce voisine. Une jeune femme lui fit signe d'approcher. Il obéit, en se contraignant à la regarder dans les yeux, gêné de constater qu'elle était habillée exactement comme les hommes, c'est-à-dire qu'elle ne portait qu'un minuscule slip de couleur et que le reste de son corps paraissait nu sous son maillot collant et translucide comme un bas. Toutefois, ses cheveux n'étaient pas rasés et flottaient librement sur ses épaules. Jâ se demanda si elle avait été obligée de les passer un par un dans les mailles. Il le lui demanda ingénument. Elle éclata de rire.

– Mais non, dit-elle, on voit bien que vous êtes nouveau ici. Mes cheveux ont poussé naturellement au travers.

– Vous voulez dire que vous n'avez pas changé de maillot depuis tout ce temps ? dit Jâ en regardant la longueur des cheveux.

– Mais je ne l'ai jamais quitté, voyons.

– Eh bien !

– Quoi donc, Citoyen ?

– Je veux dire : comment faites-vous pour vous laver ?

– Est-ce que vous quittez votre épiderme pour faire votre toilette ? Non ! Eh bien, c'est la même chose. Ce maillot est un épiderme perfectionné. On vous le pose à la naissance, il grandit avec vous, vous protège du froid, du chaud et des microbes et se lave aussi facilement que votre peau, dont il absorbe d'ailleurs les impuretés, et à laquelle il fournit de l'oxygène.

– Vous voulez dire qu'on peut aller se promener dans le vide par plus de cent quatre-vingts degrés ou par moins cent ?

– Oui, mais pas longtemps. Si vous voulez rester dehors plus de cinq heures, il vaut mieux endosser par-dessus un scaphandre, sinon vous mourrez gelé, rôti ou asphyxié. Attendez-moi un instant.

Elle s'absenta quelques minutes et revint en lançant un maillot à Benal.

– Enfilez-moi ça, dit-elle.

Jâ tâta l'étoffe soyeuse et élastique.

– En quoi est-ce fait ?

– C'est un réseau serré de tubes capillaires en néderme.

– Néderme ?

– Oui ! parcouru continuellement par un liquide nommé superplasme. Ne me demandez rien d'autre, je ne suis pas savante.

– Néderme, superplasme... Ça me donne une vague idée.

La jeune femme hocha la tête.

– Vous n'êtes pas très avancés, sur la Terre.

– Comment ça ?

– Vous ne portez pas de maillots.

Ce fut au tour de Jâ de rire.

– Là-bas, ce n'est pas nécessaire.

– Ah non ? fit-elle, dubitative.

– La Terre a une atmosphère, expliqua Jâ.

– Je ne sais pas ce que c'est qu'une atmosphère, je suis une femme.

– Pourquoi les femmes...

– Seuls les hommes ont le droit d'être instruits. Une camarade m'a dit qu'il y a des femmes qui savent lire parmi les fonctionnaires attachées au Conseil, mais je ne l'ai pas crue. C'est défendu.

– Vous ne savez pas lire ? demanda Jâ stupéfait.

– Bien sûr que non. Maintenant, Citoyen, vous feriez bien de passer votre maillot. Et n'oubliez pas qu'il est interdit de le retirer.

Jâ passa une jambe dans le vêtement. La jeune femme rit encore.

– Non, pas comme ça, dit-elle. Je m'y attendais. Il faut retirer votre slip d'abord, vous le mettrez par-dessus.

– Ah, bon ! dit Jâ.

Il regarda fixement la jeune femme.
– Eh bien ? dit-elle.
– Vous restez là ?
– Oui, pourquoi ?
– Pendant que je m'habille ?
Elle ouvrit de grands yeux et haussa les épaules.
– Ah oui, c'est vrai ! Si ça peut vous faire plaisir, je passe dans la pièce voisine. Vous autres, Terriens, vous avez de ces pudeurs ! Je ne comprendrai jamais, dit-elle en sortant.
Jâ sourit en regardant la porte redevenir opaque. Il passa son maillot qui le moula aussitôt à la perfection et mit son slip par-dessus. Pour la tête, il ne sut comment faire, l'étoffe restait béante sur la nuque.
– Hé ! cria-t-il.
La jeune femme revint. Jâ désigna son cou.
– Comment s'y prend-on ?
– Laissez. Ça va se souder tout seul dans dix minutes.
Jâ se leva du siège où il s'était installé pour s'habiller. Son geste le précipita en l'air, il se cogna fortement la tête au plafond et retomba sur le sol. Sa chute donna une impression de lenteur.
La jeune femme étouffait de rire.
– Vous trouvez ça drôle ! s'emporta Jâ.
– Ça, je l'attendais aussi, hoqueta la femme. Les nouveaux arrivants le font tous ; ça m'amuse. Vous avez oublié de remettre vos cothurnes.
« Elle est complètement idiote », pensa Jâ. Il chaussa les lourds cothurnes qui le grandirent de dix centimètres.
– Maintenant, laissez-moi faire, dit l'habilleuse.
Elle passa sur le crâne et le visage de Jâ une petite éponge imbibée d'un liquide tiède.

– Qu'est-ce que vous faites ?

– Vos cheveux et votre barbe commençaient à repousser. Il faudra vous passer du Dépil tous les mois.

Elle recula de quelques pas et détailla Benal.

– Maintenant, vous êtes bien, dit-elle. Vous êtes même très bien ! Et moi, comment me trouvez-vous ?

Jâ rougit un peu en évitant de porter les yeux sur le corps de la jeune femme.

– Vous êtes très jolie, dit-il gentiment.

Elle n'était pas laide. Elle apprécia vivement la remarque de Jâ et sourit.

– J'ai envie de vous demander si vous voulez me prendre pour femme, je serais bien contente. Je m'appelle Sore, numéro A.G.4172. Vous vous rappellerez ?

– Sûr, dit Jâ ahuri.

– Chic ! dit-elle en levant les bras au plafond, dans un geste enfantin. Maintenant, vous pouvez sortir. A bientôt !

Jâ s'empressa de filer par le couloir.

– Eh bien, mon vieux ! murmura-t-il, les déclarations sont rapides, ici.

Un pas pressé retentit derrière lui. Il se retourna. Le drôle de petit numéro A.G.4000, etc. lui courait après.

– Vous oubliez votre laissez-passer, criait-elle en brandissant un papier.

Jâ lui épargna la moitié du chemin. Elle devint rouge de confusion.

– Oh non, Citoyen, ne vous donnez pas la peine, voyons ! Je suis une femme.

Elle lui donna le laissez-passer.

– Merci, dit Jâ.

Il hésita et ajouta gauchement :
– Eh bien, au revoir.
Elle avança la main et lui caressa le bras.
– Au revoir, M...Maître ! vous permettez que je vous appelle déjà comme ça ?
– Maître ? dit Jâ. Oh oui, bien sûr !
– Chic ! explosa-t-elle en battant des mains.
Elle s'en alla en trottinant.
« Si elles sont toutes comme ça, ça promet, pensa Jâ. »

19

Jâ suivit les flèches indiquant la sortie et pénétra dans une pièce circulaire. Deux hommes s'approchèrent de lui. Ils portaient à la ceinture une espèce de tringle de métal brillant terminée par une petite boule, rappelant dans l'ensemble un fleuret. Il apprit plus tard qu'il suffisait de braquer l'arme sur quelqu'un pour l'immobiliser.
– Votre laissez-passer, Citoyen !
Jâ le leur donna.
– Vous pouvez sortir ! Ce Citoyen vous conduira.
Jâ se retourna et aperçut un autre homme qu'il n'avait pas encore remarqué. Celui-ci s'approcha.
– Vous êtes bien Jâ Benal ?
Jâ inclina la tête. L'homme lui tendit la main.

– Las Tem ! Je suis chargé de faciliter vos premiers contacts avec notre civilisation. Voulez-vous me suivre ?

Ils sortirent dans une allée bordée d'arbres.

– Ma parole, dit Jâ, ce sont des tilleuls !

– Nous avons beaucoup d'arbres dans la cité, sourit Tem.

Jâ regarda la ciel. D'énormes étoiles brillaient dans le ciel noir autour de la Terre énorme, jetant sur le sol les ombres nettes des tilleuls.

– Mais nous sommes dans le vide ! dit-il.

– Vous n'y êtes pas. La cité est bâtie dans un immense cirque naturel fermé en haut par un dôme transparent de trois kilomètres de rayon. Ce dôme est soutenu au milieu par cette grande colonne que vous distinguez là-bas. Ici, nous pourrions vivre sans maillot, nous sommes dans l'air.

– J'ai tout à apprendre.

– En effet... Dites-moi, j'ai beaucoup intrigué pour arriver à me faire désigner comme votre guide. J'ai toujours eu envie de connaître un Terrien de mon âge. Les vieux ne parlent pas de leur passé. Si vous me parliez de la Terre.

– Vous êtes né ici ?

– Oui.

– Je ne sais que vous dire sur la Terre, mon vieux. Je suis encore tout étourdi par mes aventures et par tout ce que je vois autour de moi.

– Bien sûr, pas aujourd'hui ! Je voulais simplement vous demander si ça ne vous ennuierait pas trop de me revoir de temps en temps pour me parler de là-bas, quand vous serez un peu moins secoué.

– Tant que vous voudrez.

– Merci. Et maintenant, posez-moi les questions que vous voudrez sur la Lune.

– J'en ai tellement en tête que je ne sais pas par où commencer. D'abord, où allons-nous ?

– Chez vous. La demeure qui vous a été assignée est voisine de la mienne.

– C'est encore loin ?

– Nous sommes presque sortis du quartier administratif, ce ne sera plus long.

Ils prirent une rue animée. Des hommes, des femmes allaient et venaient d'un pas pressé entre deux falaises d'immeubles percés de milliers de hublots, étageant leurs dômes transparents et leurs terrasses à des hauteurs variées. Aucun véhicule n'était visible. Des marronniers d'une taille surprenante poussaient au milieu de la rue. Par instants, on voyait planer au-dessus des maisons de bizarres boîtes de verre. Tem remarqua l'étonnement de Jâ.

– Vous en aurez une, dit-il.

– Une quoi ?

Tem pointa son doigt vers le ciel, désignant un appareil.

– Une antigé.

– Vous volez partout avec ça, même dans le vide ?

– En principe oui, mais il est défendu de s'en servir hors de la cité, elles sont trop fragiles pour résister au choc des météorites. Pour sortir, nous en avons de plus solides, comme celles qui sont allées vous repêcher dans la chaîne de Pluton.

Tout à coup une cloche sonna. Tem arrêta son compagnon.

– L'heure des Imprécations ! dit-il. Faites comme moi.

Il regarda en l'air. Tout le monde s'immobilisait dans la rue et levait les yeux vers la Terre. Un murmure passionné monta de la foule :

Terre qui nous est refusée !

Nous avons faim de toi comme du fruit pendu à la branche,

« Ils deviennent tous cinglés ! pensa Jâ. »

Terre, le jour est proche où nous te reprendrons.

Nous puiserons dans tes délices avec d'autant plus de frénésie que nous aurons longtemps attendu.

Jâ regarda Tem du coin de l'œil. Celui-ci débitait son texte avec indifférence.

Terriens, qui nous avez chassés !

Parce que vous étiez le nombre et la bêtise et que vous nommiez cela : justice,

Terriens, nous reviendrons bientôt vous dominer, vou mépriser, vous asservir,

Et notre vengeance aura d'autant plus de force que nous l'aurons longtemps attendue.

« La vengeance est un plat qui se mange froid, conclut Jâ en lui-même. Eh bien, ils sont plutôt montés contre nous ! »

La foule avait repris son va-et-vient. Tem entraîna Benal.

– Comment trouvez-vous ça ? demanda-t-il.

– C'est un poème exaltant, dit Jâ.

Tem le regarda d'un air méfiant et sourit.

– Vous n'êtes pas sincère.

– Mais si, protesta Benal.

– Non. Avouez que vous ne ressentez pas tellement de haine pour ces Terriens que vous venez de quitter, malgré ce qu'on vous a fait.

– Comment ? Mais...

Tem le prit amicalement par le bras.

– Écoutez, je sens que je peux vous faire confiance. Vous les avez tous vus, tout à l'heure, déclamer leur « Terre qui nous est refusée... etc. ». Eh bien, je vais vous dire le fond de ma pensée ; la moitié d'entre eux, dont je suis, se fichent éperdument de toute cette mise en scène. Ils sont nés sur la Lune et s'y trouvent parfaitement bien. Un quart sont sincères, parce que plus hystériques que les autres et plus perméables à la propagande officielle ; des névrosés, quoi ! Le dernier quart est constitué par de vrais exilés, comme vous. Il faut avouer que la plupart de ceux-là sont du gibier de potence. Des déchets dont la Terre a eu raison de se débarrasser. Des gens sur qui l'on ne peut compter.

Jâ le regarda en souriant. Tem cligna de l'œil et poursuivit :

– Votre attitude me prouve que je vous ai bien jugé. La plupart m'auraient sauté dessus pour ce que je viens de dire. Vous n'êtes pas comme eux. Vous êtes trop conscient de votre supériorité pour vous vexer...

– Continuez ! dit Jâ.

– Je veux dire : on sent que vous avez été envoyé ici par accident, fatalité ou erreur judiciaire. Vous êtes normal ! Vous ne tomberez jamais dans cette hystérie collective, dans cette frénésie de revanche. Quant à moi, quoique petit-fils d'exilé, je n'en veux absolument pas à la Terre. Je suis curieux d'elle, j'ai envie d'y aller, mais en touriste, non en conquérant.

– D'après tout ce que j'ai pu voir depuis mon arrivée, dit Benal, vous vivez ici sous un régime policier. Et je crois que vous parlez trop, mon vieux. Et si j'étais un agent provocateur ?

Tem le regarda dans les yeux.

– Non ! dit-il. Mais vous avez un peu raison. Assez pour ce soir ! Nous aurons l'occasion de revenir sur ce sujet. Ce ne sont pas des conversations à tenir en pleine rue.

Tem entraîna son compagnon vers la gauche et ils

montèrent une rampe menant à l'intérieur d'un immeuble. Ils entrèrent. Le hall circulaire était dallé de basalte. Le plafond se perdait dans les hauteurs. En levant la tête, Jâ eut l'impression d'être au fond d'un puits. Son guide l'entraîna au milieu de la pièce sur une plaque métallique. Il parla :

– Vingt-quatre ! dit-il.

Jâ surpris, se sentit monter dans le puits en compagnie de Tem. Supposant que la plaque métallique les soulevait il regarda en bas, et vit que ses pieds ne reposaient sur rien. Il s'envolait littéralement.

– Polyaimant ! expliqua brièvement Tem.

– Application ingénieuse ! apprécia Benal.

Ils stoppèrent devant une ouverture et enfilèrent un corridor au fond duquel deux portes se faisaient face.

– Vous habitez à gauche. Moi, en face, dit Tem. Entrons chez vous.

Ils se placèrent devant la porte et entendirent un son perlé de l'autre côté. Une voix douce dit : « Entrez ! » Ils avancèrent, tandis que la cloison se dématérialisait à leur passage. Une magnifique jeune femme blonde leur sourit timidement.

– C'est Nira Slid (A.E.712), dit Tem à Benal. Elle vous plaît ?

– Je... Oui, elle est très belle.

– Voici ton maître, dit Tem à la femme ; c'est un arrivant, occupe-toi de lui.

Il se tourna vers Jâ.

– Si vous avez besoin de moi, n'hésitez pas : j'habite à côté. Je vous laisse.

Sur le point de sortir, il se retourna.

– Si par hasard elle ne vous satisfaisait pas, dites-le moi ; je vous en trouverais une autre.

20

Il s'en alla, laissant Benal ahuri en tête à tête avec Nira. Comme le silence se prolongeait, celle-ci accentua son sourire et dit :

– Avez-vous un désir à exprimer, Maître ?

Jâ reprit son sang-froid.

– Oui, dit-il d'un ton légèrement irrité ; ne m'appelez pas « Maître ». Je m'appelle Jâ Benal (C.S.177). Dites-moi Jâ.

Un voile de tristesse passa dans les yeux de Nira.

– Je ne vous plais pas ?

– Si, pourquoi ? Je vous trouve très jolie et vous avez l'air très sympathique. Mais je n'aime pas qu'on me fasse des courbettes. Quand ça ne me met pas en colère, ça me donne envie de rire.

– Je n'oserai jamais vous appeler Jâ.

– Je l'exige, Nira.

– Bien... Jâ.

– A la bonne heure !

– Maît... Jâ, vous n'êtes pas au courant de bien des choses, ici. Me permettez-vous de vous demander...

– Quoi donc ?

– Tutoyez-moi. Il faut toujours tutoyer sa femme.

– Si ça te fait plaisir, Nira, je veux bien. Mais fais-en autant.

– C'est impossible, voyons.

– Je l'exige aussi.

Nira baissa les yeux.

– Bien, Jâ, dit-elle, mais je ne pourrai jamais le

faire en public. N'oublie pas que devant un tiers, je devrai continuer à te dire « vous » et « maître ».

Benal haussa les épaules.

– S'il le faut absolument...

Il regarda autour de lui. La pièce était petite et nue, mais une impression de confort accueillant s'en dégageait malgré tout. Le sol élastique, les murs satinés d'où se dégageait une douce lumière blanche, tout était agréable à toucher, à regarder. Au fond, la cloison était marquée d'une porte. Suivi de Nira, Jâ passa de l'autre côté.

Une seconde pièce faisait suite. Plus vaste, elle était meublée d'une grande table et de quatre hamacs plastiques. Trois nouvelles portes se présentaient. Deux donnaient chacune sur une chambre, la troisième sur une vaste salle d'eau entièrement revêtue de miroirs. C'était tout.

– Nous sommes mieux logés sur la Terre, dit Jâ. C'est plutôt restreint comme demeure.

– Parce qu'elle est en réduit, dit Nira.

– Comment ça ?

Sans répondre, Nira frôla un bouton. Comme un ballon s'enfle, l'ensemble de l'appartement grandit dans des proportions de un à quatre.

Jâ resta songeur.

– C'est pratique, dit la jeune femme, quand on veut recevoir beaucoup d'amis, par exemple.

– Mais nous devons gêner les voisins, nous empiétons sur eux.

– Non. Il y a interpénétration. Il est possible qu'en ce moment même, un voisin soit ici dans sa chambre en expansion. Mais nous ne le voyons pas, nous ne pouvons pas le toucher, ni lui non plus.

– C'est une application de la formule de Kemi sur les *n* dimensions ?

Nira ouvrit de grands yeux.

– Je ne sais pas. Je suis une femme. J'ai seulement entendu dire qu'il y avait interpénétration.

Jâ hocha la tête. L'humilité de cette femme, son attitude servile le gênaient.

– Tu ne sais même pas lire, sans doute ?

– Oh non. C'est défendu aux femmes.

Jâ la prit par la main et la fit asseoir à côté de lui sur le bord d'un hamac. Il la regarda. A peine voilée par l'étroit maillot, sa beauté coupait un peu le souffle. Un visage de rêve, des yeux immenses, des courbes harmonieuses reliées entre elles par de fines attaches. Impressionné, Jâ retournait plusieurs idées dans sa tête. Et s'il s'en faisait une alliée ? S'il lui proposait, par exemple, de lui apprendre à lire, de lui apprendre un tas de choses. Puis, par degrés, il pourrait la convaincre que le sort des femmes terriennes était beaucoup plus enviable, établir les bases d'un coup d'État sur une éventuelle révolte des femmes sur la Lune.

Respectueuse, Nira considérait son nouveau maître. Il avait l'air gentil, beaucoup moins autoritaire que la plupart des hommes de la Lune, beaucoup moins même que la plupart des nouveaux arrivants qui, surpris au début de voir les femmes à leurs pieds, renchérissaient généralement par la suite sur la dureté de l'autorité masculine lunaire. Celui-ci paraissait remuer des pensées personnelles et Nira se gardait bien de poser des questions, attendant qu'il plût au Maître d'ouvrir la bouche.

Tel était l'aspect de Nira : prévenance et réserve respectueuse. Jâ pensa qu'il valait mieux attendre d'être plus au courant des mœurs et de la mentalité lunaire pour se risquer à influencer la jeune femme. Et si les études la rebutaient ! Si elle n'avait aucune envie de s'instruire ; si elle était parfaitement idiote ! On ne pouvait pas savoir. Elle serait capable de le dénoncer. Conclusion : voir venir ! Il lui sourit. Nira lui rendit son sourire craintif. Elle semblait ne pas savoir. Ce qu'il plairait au Maître, sans doute. Jâ se leva.

– J'ai faim, dit-il. Comment fait-on pour manger sur la Lune ?

– Dans ta chambre, dit Nira, tu trouveras le distributeur. Prends-tu la chambre de droite, Maître ?... pardon, Jâ ?

– Aucune importance, dit Jâ.

Il passa dans la chambre de gauche parce qu'elle était la plus proche de lui et considéra pensivement l'appareil bizarre terminé par deux tubes en col de cygne, placé près de son hamac. Il appela Nira.

– C'est ça le distributeur ? Comment fonctionne-t-il ?

– Le tube de gauche pour le liquide ; le tube de droite pour la pâte. Il te suffit de prendre l'extrémité du tube dans ta bouche, l'arrivée se fait automatiquement au contact de la salive. Quand on en a assez, on retire sa bouche, tout simplement.

– Mais mon maillot va me gêner, il me passe devant la figure.

Il faut appuyer un peu, le tube passera au travers, les mailles vont s'écarter.

Jâ considérait le distributeur d'un air dégoûté.

– C'est la seule façon que l'on ait de se nourrir, ici ?

– Oh non ! Il y a aussi les distributeurs transportables. Ils sont plus petits et fonctionnent un mois sans être rechargés. Mais on ne s'en sert que pour aller dans le vide.

Jâ poussa un soupir et approcha ses lèvres du

tube de droite. Il appuya sa bouche. Le tube passa facilement et il sentit sa bouche s'emplir d'une pâte légèrement sucrée. Il s'empressa de s'éloigner et avala en faisant la grimace.

– Mais c'est exactement ce qu'ils me donnaient à la clinique. Je croyais que c'était un aliment de régime. J'espère qu'on varie le menu de temps en temps, non ?

– Le menu ?

– Je veux dire : j'espère qu'on mange autre chose.

Nira prit un air stupéfait.

– Pourquoi manger autre chose ?

– Enfin, tu ne vas pas me dire que tu te nourris de ce truc depuis toujours.

– Mais si ! Comme tout le monde.

Jâ s'assit, accablé.

– Tu n'as jamais été au restaurant... Sais-tu ce que ça veut dire, restaurant ?

Nira secoua la tête négativement.

– C'est la première fois que je converse avec un nouvel arrivant. On m'avait déjà dit que vous étiez bizarres, sur la Terre.

– Quand je pense que je me suis soutenu avec des pastilles pendant plus de trois semaines, et qu'on me fait manger avec un tube. Et le liquide, qu'est-ce que c'est ?

– On appelle ça du liquide, tout simplement.

Jâ essaya le deuxième tube de l'appareil.

– Ça rappelle vaguement le Drinil, dit-il après avoir bu. C'est toujours quelque chose.

Dans l'appartement voisin, Tem faisait son rapport. Il parlait dans un micro.

– Tout marche bien pour l'instant. Je crois que

j'ai réussi à capter sa sympathie. J'ai réussi à me faire passer pour un garçon pacifique et sans aucune prévention contre les Terriens. Il est en ce moment chez lui, en tête à tête avec Nira Slid. Il a paru l'apprécier. Je crois qu'elle n'aura pas de mal à le mener par le bout du nez, sans avoir l'air d'y toucher. Fin du rapport !

Il s'éloigna du micro et regarda pensivement par un hublot.

– Rega ! dit-il d'une voix brève, sans se retourner.

Une femme entra dans la pièce, timide comme une biche.

– Distrais-moi : chante ! dit Tem.

La femme s'empara d'une lame de métal d'environ un mètre de long, terminée à chaque extrémité par une poignée. Elle s'assit en tailleur dans un coin, prit l'objet à deux mains et le tordit légèrement. Une musique étrange et prodonde envahit la pièce, tandis que la lame s'incurvait plus ou moins, suivant le hasard des notes. La femme, d'une voix à peine audible, parla plus qu'elle ne chanta, laissant se prolonger la dernière syllabe des phrases :

– *Des centaines d'étoiles éclairent ton visage...*

– Non, pas celle-là, dit Tem. Chante-moi « L'homme perdu ».

L'instrument préluda. La femme commença.

– *Il tournoiera sans fin dans le froid de l'espace,*
Impuissant prisonnier des orbites lointaines...

Tandis que la femme chantait, Tem s'allongea sur un hamac et ferma les yeux.

21

– Comment s'amuse-t-on, ici ? demanda Jâ à Nira. J'ai huit jours de convalescence à utiliser.

– Veux-tu que je danse pour toi ? dit Nira.

– Tu sais danser ?

– Bien sûr, tu vas voir...

Elle s'arrêta et reprit :

– Ou alors, tu pourrais peut-être m'emmener à l'Eden, je danserai plus tard.

– Qu'est-ce que c'est, l'Eden ?

Elle frappa dans ses mains.

– Oh, oui ! Emmène-moi ; je suis sûre que ça te plaira, tu verras !

Elle le prit par la main et Jâ se laissa diriger vers la porte. Ils descendirent en douceur par le puits magnétique et sortirent dans la rue. Ils marchèrent côte à côte sous les grands arbres. Jâ se laissait ravir par l'ambiance de jeunesse et de gaieté enfantine distillée par Nira. Il admirait la souplesse de sa démarche, son enthousiasme puéril, la beauté des longs cheveux d'or qui ondulaient sur ses épaules galbées.

Ils arrivèrent sur une vaste place. Au milieu de l'espace libre, deux ouvertures circulaires perçaient le sol. Par l'une d'elles sortaient des gens, comme aspirés par une force invisible jusqu'à la surface. Le deuxième puits magnétique était réservé à l'entrée.

Jâ réprima un recul au moment de poser les pieds dans le vide du puits. Mais il se sentit descendre sans heurt en compagnie de la jeune femme et de quelques personnes. Ils arrivèrent au bout après deux minutes de voyage en profondeur. Jâ regarda autour de lui et n'en crut pas ses yeux. Il se crut sur la Terre dans un parc merveilleux, aux pelouses immenses, aux arbres magnifiques étoilés de fleurs géantes et multicolores.

De la voûte tombait une lumière qui rappelait celle du soleil sur la bonne vieille planète, par un beau matin de printemps. L'illusion était parfaite. On ne distinguait aucun plafond. La clarté paraissait venir de très, très haut à travers un ciel bleu. De toutes parts, des vallons, des forêts, des collines vertes, des torrents bondissant entre des rocs polis.

Des gens couraient, ivres de liberté. D'autres plongeaient dans une rivière, avec de grands éclats de rire. L'air résonnait de cris joyeux. C'était vraiment l'Eden, le paradis terrestre. La Terre, certes, mais sans insectes désagréables, sans vase au fond des cours d'eau, sans animaux sales ou dangereux et sans orties au bord des chemins.

– On se croirait sur la Terre, dit-il en mentant un peu, avec cette différence que là-bas, il n'y a pas besoin de descendre au fond d'un trou pour voir ça. C'est partout comme ici.

Il suivit Nira, qui l'entraîna dans une course folle en direction d'une vaste prairie. Ils la traversèrent pour pénétrer dans une forêt.

– Où m'emmènes-tu ? demanda Jâ.

– Sur les bords du lac, c'est ce que je préfère.

Ils couraient comme des dieux, allégés par la faiblesse de la pesanteur lunaire. Soudain, Jâ s'arrêta. Nira courut encore quelques foulées et se retourna.

– Que faites-vous ?

Jâ désigna un arbre.

– Un cerisier, dit-il. Est-ce que tu ne manges jamais de cerises ?

– Des cerises ? Oh, si, bien sûr. Mais ce n'est pas fait pour manger, ça sert seulement à se distraire la bouche.

– J'aime bien l'expression. En tout cas, j'ai fort envie de me distraire la bouche avec, pour changer de la pâte.

Il pilla littéralement une branche et se gorgea de cerises, sous l'œil étonné de sa compagne.

– Est-ce que vous êtes tous gourmands comme ça, sur la Terre ? demanda-t-elle.

– Non, dit Jâ la bouche pleine (les fruits passaient facilement en forçant un peu les mailles élastiques du vêtement). Je ne suis pas particulièrement goinfre, ma petite, mais c'est la seule nourriture vraiment sympathique qu'il m'ait été donné de rencontrer depuis longtemps.

Il emplit sa main gauche de cerises, et poursuivit sa marche aux côtés de Nira, tout en crachotant des noyaux de temps en temps.

Ils s'engagèrent dans une gorge où chantait une petite cascade d'une eau incroyablement claire. De chaque côté une lisse muraille de basalte montait jusqu'à la voûte invisible d'où tombait la réconfortante lumière.

Des touffes de buissons à larges feuilles croissaient çà et là, sous l'ombre de fougères arborescentes.

– En fait, dit Nira, la chaleur serait insupportable ici, sans nos maillots. Mais elle est nécessaire à l'exubérance des plantes. Nous arrivons au lac.

La gorge s'élargit et Jâ s'emplit les yeux d'un merveilleux spectacle. Une vaste étendue d'eau limpide s'étalait devant eux au bas d'une pente fleurie. La surface que n'agitait aucune brise était polie comme un miroir et reflétait les vertigineuses falaises vertes et les plages qui l'entouraient.

– Si nous allions nager ! dit Nira.

Ils coururent au lac, quittèrent leurs cothurnes et plongèrent côte à côte. Jâ se dit qu'il n'avait jamais si bien plongé de sa vie. La faible pesanteur lui avait permis une chute donnant une délicieuse impression de lenteur : un véritable vol plané. Il brassa largement l'eau et avança très vite, laissant loin derrière lui la jeune femme. Tous ses gestes lui paraissaient faciles, exempts d'efforts, il se sentit un surhomme.

Sa nage le mena sur une petite grève ; il s'allongea, plongea amoureusement ses mains dans le sable et attendit Nira. Quand elle arriva, il lui sourit et lui fit signe de s'asseoir à son côté. Après de longs jours de souffrances morales dans des paysages désolés, il se sentait revivre.

22

Dans les jours qui suivirent, Jâ fut informé d'avoir à se présenter au building du Conseil pour remplir les formalités exigées des arrivants.

On lui présenta un questionnaire de cinq pages sur lequel on lui demandait un résumé à la fois clair et détaillé de sa vie terrienne. Jâ remarqua que la trentaine de questions posées ne laissaient rien au hasard. Il cacheta le formulaire, le donna à une femme fonctionnaire et attendit une bonne demi-heure qu'on s'occupât de lui plus avant.

Au bout de ce temps, la femme revint et lui tendit une feuille encore criblée de questions. Cette fois, il s'agissait de dévoiler d'une façon plus poussée ses antécédents professionnels, afin de savoir à quoi on pourrait employer ses compétences. Jâ répondit de son mieux et la femme le débarrassa de la deuxième feuille.

A peine cinq minutes plus tard, une voix se fit entendre.

– Citoyen Jâ Benal (C.S.177), veuillez prendre le couloir n° 5 et vous présenter à la porte B.

La femme fit signe à Jâ d'obéir. Le jeune homme regarda autour de lui, avisa le couloir indiqué et s'y avança. Il n'eut pas à chercher la porte B. Un homme debout sur le seuil lui faisait signe. Jâ s'approcha.

– Vous êtes Jâ Benal ? dit l'homme. Entrez.

L'inconnu le fit installer sur un hamac et lui offrit un verre de Drinil lunaire. Puis il le considéra en silence pendant deux minutes.

– Qu'avez-vous à me dire ? dit Jâ agacé.

L'homme sourit.

– Je suis en train de me demander si vous êtes le roi des plaisantins.

– Comment ?

– Oui. Vous êtes mathématicien, n'est-ce pas ?... (Il consulta la dernière feuille remplie par Jâ.) Cinquante-cinq ans : un très jeune mathématicien ! Et vous prétendez avoir résolu le problème de Stero ? De qui vous moquez-vous ?

Jâ sourit.

– Je suppose que vous êtes mathématicien vous-même ?

– Naturellement ! Je suis là pour aiguiller sur leurs spécialités respectives les savants qui nous arrivent de la Terre. Je dois avouer que j'ai rarement l'occasion d'effectuer ce travail. La plupart des nouveaux arrivants sont des criminels arriérés... Eh bien ? Ce problème de Stero ?

– Si vous êtes de la partie, cela va simplifier les choses. Vous connaissez les données du problème de Stero ? Vous connaissez la fonction Z ?

L'homme fit un signe affirmatif.

– Bon ! dit Jâ. Sachez donc qu'il y a environ trois ans, j'ai prouvé que la fonction Z existe vraiment. Elle forme un minimum de l'intégrale.

L'homme resta pensif. Il ouvrit enfin la bouche.

– Les meilleurs cerveaux de la Lune butent depuis des années contre cette difficulté, dit-il d'une voix lente. Si vous n'êtes pas un bluffeur, vos travaux vont révolutionner le monde savant. Expliquez un peu votre affaire.

Jâ se mordit la langue. En remplissant trop bien son formulaire, il avait dévoilé aux savants lunaires un secret qui pouvait faire avancer leur science dans des proportions dangereuses pour la Terre.

Il s'empara d'un stylo qui traînait sur le bureau du fonctionnaire et commença à noircir un papier de formules et d'équations.

La tête penchée sur le bureau, les deux hommes travaillèrent longtemps. Et Jâ, jouant serré, s'efforça de convaincre son adversaire tout en faussant héroïquement les calculs par patriotisme.

Au bout de plusieurs heures, le fonctionnaire se leva et dit :

– Je n'en peux plus. Vous êtes trop fort pour moi. Je ne suis pas assez compétent pour pouvoir aller jusqu'au bout. Mais vous aurez à faire la démonstration complète. Elle sera examinée par nos spécialistes. En tout cas, vous m'avez convaincu de vos capacités. Nous vous trouverons un poste élevé. En attendant, vous serez astreint à une formation accélérée pendant un mois.

– Formation accélérée ?

– C'est-à-dire qu'on va vous inculquer des notions de ce que tout Lunaire doit savoir. Malgré votre intelligence, il y a des tas de choses simples que vous ignorez. Sur la Lune, vous êtes un peu comme un enfant dans un monde nouveau. Même une femme en sait plus que vous sur... la Selenographie, par exemple, ou sur le droit lunaire. Il est indispendable que vous arriviez à votre majorité. Vous n'y serez pas tant que vous aurez besoin d'un guide.

Pendant un mois, Jâ redevint écolier. Il lui fallait devenir un vrai Lunaire. Il était nécessaire qu'il n'ait plus à demander « Où est-ce ? » quand on parlait devant lui de la chaîne Rok, ou qu'il ignore le nom des cinq grandes villes.

Il apprit que Ptol, la cité où il se trouvait, quoique capitale administrative, était relativement peu importante à côté d'énormes agglomérations comme Fram dans la plaine des Nuées, ou même Dav dont on distinguait pendant la nuit les lumières à l'horizon. On lui enseigna le fonctionnement d'une antigé, ces bizarres boîtes volantes en matière transparente. Il dut se familiariser avec tous les détails courants de sa nouvelle vie.

Ébloui par les techniques avancées révélées par tout ce qu'il apprenait, il frémit en pensant que la seule supériorité de la civilisation terrienne était peut-être constituée par ses travaux personnels sur la fonction Z. Il envisageait les multiples perfectionnements que le problème de Stero résolu pouvait apporter au pouvoir scientifique de ses ennemis. Il se tua au travail pour essayer d'établir des calculs vraisemblables, quoique faux, et dont la vérification demanderait des mois aux savants du satellite.

Sa solitude en pays étranger lui pesait. Personne à qui se confier. Tem était bien sympathique, mais Jâ se méfiait de ses réactions possibles s'il lui avouait être un faux banni, un espion au service de la Terre. Quant à Nira, qui lui paraissait pourtant dévouée corps et âme, non vraiment, il ne pouvait lui faire confiance. C'était un être trop faible et son absence totale d'instruction en ferait un poids mort. Il résolut de continuer à poursuivre seul ses efforts.

Que prescrivaient les dernières instructions reçues de la Terrienne Flore, qui l'avait embrassé dans sa prison ? Premièrement : chercher par tous les moyens à occuper un poste clé dans le gouvernement lunaire. Deuxièmement : recueillir le plus de renseignements possibles sur les moyens prévus pour attaquer la Terre. Troisièmement : essayer de mettre au point un système de sabotage étendu, capable d'anéantir d'un seul coup la puissance offensive par une opération presse-bouton. Quatrièmement : en cas d'échec des instructions trois, rallier la Terre de la façon la plus discrète possible pour rendre compte de toutes ses observations.

En cas d'impossibilité, cinquièmement : étudier les possibilités de rallier à la cause terrienne les natifs de la Lune descendants d'exilés, contre lesquels le gouvernement terrien n'avait aucun grief. Faire envisager au besoin l'éventualité d'une remise de peine aux exilés depuis plus de cinquante ans. Diviser ainsi l'opinion des Lunaires et organiser un coup d'État.

Instructions rocambolesques, germées dans des cerveaux enfantins, pensait Jâ. Comment le gouvernement terrien pouvait-il avoir trouvé des idées aussi ridicules, qui assimilaient son rôle d'agent secret à une aventure de magazine en couleurs. Il prenait Jâ pour Superman, sans doute ! Les deux premières étapes de sa mission paraissaient ne pas offrir trop de difficultés. Mais le sabotage et le retour individuel dans la mère patrie : ridicule ! Il s'imaginait qu'il était aussi aisé de franchir près de quatre cent mille kilomètres de vide sans se faire repérer que d'aller de Lepolvi à Staleve en rampant dans la jungle !

Seules, les instructions 5 avaient une apparence raisonnable. Mais que d'habileté et de prudence ne faudrait-il pas pour réussir !

Enfin, il lui fallait accomplir son devoir, même s'il le jugeait impossible. Il était trop tard pour reculer. Des miracles l'avaient déjà sauvé. De nouveaux miracles pouvaient lui faire mener à bien sa mission. Déjà après l'avoir destiné à un haut poste dans un laboratoire nucléaire, le gouvernement lunaire avait changé ses projets et l'affectait d'office à la direction de la cohorte de savants attachés à la « Défense lunaire », en raison de sa valeur scientifique exceptionnelle.

Jâ était loin de se douter que sa qualité d'espion était connue et qu'on chercherait à tirer de lui le maximum de renseignements pouvant servir aux progrès lunaires, tout en surveillant étroitement son activité. Il ignorait que Tem et Nira étaient chargés de rapporter ses moindres actions ou ses moindres paroles suspectes. Il ne savait pas que le nommé Sli, qui avait pris contact avec lui en tant que futur secrétaire particulier, était également placé à ce poste dans le même dessein.

23

Quelques mois plus tard, sa situation avait considérablement changé. Transféré dans la ville industrielle de Dav, il y avait la jouissance d'un véritable palais à trois dômes, dont le sous-sol était constitué par un eden particulier, et quatre antigés à sa disposition. Chaque appareil pouvait le mener en deux minutes à l'usine d'armement où étaient ses laboratoires ; ou encore, s'il avait besoin de détente, le conduire aux portes de la cité où il le troquait contre une fusée lui permettant d'aller se promener au-dessus des exaltants paysages lunaires. Mais, sous prétexte qu'il n'était pas assez familiarisé avec ce moyen de locomotion, on lui imposait la présence d'un pilote, malgré ses nombreuses protestations.

En fait, cette brimade lui mit la puce à l'oreille. Il se savait bon conducteur et ses réflexes ne laissaient rien à désirer ; pourquoi donc n'imposait-on pas les mêmes obligations à de nouveaux exilés dont l'arrivée sur la Lune était plus récente que la sienne ? La réponse qu'on lui avait donnée, que sa valeur scientifique était trop précieuse à l'État pour qu'on risquât de la voir anéantie par un accident, ne le satisfaisait pas entièrement. Il commença à se méfier de tous ceux qui l'entouraient.

Un fait renforça sa méfiance. Un jour qu'il rentrait chez lui plus tôt que d'habitude, il surprit Nira en train de lire... De lire ! Il fit semblant de ne s'être aperçu de rien, mais il n'avait pas oublié la réflexion de Sore, l'habilleuse : « Une camarade m'a dit qu'il y a des femmes qui savent lire parmi les fonctionnaires attachées au Conseil. »

Jâ, s'étant emparé discrètement du volume de Nira quelques heures plus tard, vit que la jeune femme ne lisait pas n'importe quoi, mais un traité de parapsychologie qui n'était pas à la portée d'un esprit sans culture. Pourquoi Nira lui avait-elle caché ses connaissances ? Il montrait cependant assez de largeur d'esprit pour qu'elle lui confiât s'être instruite malgré la loi imposant l'ignorance des femmes.

Par la suite, il remarqua de petits détails en apparence insignifiants dans la conduite de Nira, mais qui, ajoutés les uns aux autres, renforcèrent considérablement sa méfiance. Chose étrange, il en souffrit. Jusqu'alors, il avait toujours considéré cette femme comme une agréable compagne, sans plus. Il avait su réprimer sa propre faiblesse masculine et s'était contenté de donner à Nira des marques d'amitié et de camaraderie, se gardant bien de prolonger un tête-à-tête quand il risquait de devenir trop intime. Il réservait ses rêves d'amoureux à Flore, son ancienne petite élève terrienne.

Il fallut qu'il soupçonnât Nira pour découvrir à

quel point il s'était attaché à elle, à son insu ; pour s'apercevoir que son flirt éclair dans la prison de Lepolvi ne lui avait laissé qu'un vague sentiment platonique, un attendrissement passager et puéril de collégien. L'idée que sa compagne lunaire lui avait toujours menti lui donna une sensation de solitude morale insupportable.

Son attitude à l'égard de celle-ci en fut changée. Lui si indulgent, si modéré dans l'expression de son autorité, devint dur et maussade, si bien que Nira redoubla d'attentions et de gentillesse pour l'amadouer. Cette façon d'agir de la jeune femme, loin de réussir, irritait Jâ au plus haut point. Il y voyait une preuve supplémentaire de duplicité.

Un jour, Nira se jeta en pleurant dans ses bras, chose extraordinaire si l'on considère que son attitude avait toujours été empreinte de respectueuse réserve. Sur le moment, Jâ, surpris, la serra contre lui avec passion. Puis, rageur, il dénoua l'étreinte hypocrite et repoussa violemment Nira dont la tête heurta le montant d'un hamac. La jeune femme s'affala mollement sur le sol. Affolé, en proie à des sentiments contraires, Jâ se précipita pour lui porter secours. Il l'étendit sur le hamac et essaya de la ranimer, lui prodiguant des paroles de tendresse. Celle-ci ouvrit les yeux, prit la tête de Jâ dans ses mains et l'approcha de son visage.

– Mon amour, lui dit-elle, je ne peux plus supporter cette vie de cauchemar, il faut que je t'avoue quelque chose.

Le jeune homme attendit la suite, le cœur battant d'espoir.

– Je suis un agent secret, avoua Nira. Mais il m'est impossible de continuer à t'espionner. Tu m'as attachée à toi. Je ne veux plus rien savoir du

Conseil et de sa politique. La Lune et la Terre me sont indifférentes. Seul compte mon amour pour toi. Je sais que tu es un espion terrien ; ils le savent tous. Mais je crois que ta cause est juste. Je me rends compte aujourd'hui de la barbarie de la mentalité lunaire. Je suis prête à te prouver ma sincérité en t'aidant dans la mesure de mes moyens.

Fou de joie, Jâ la prit dans ses bras. A dater de ce jour, il se sentit plus fort que jamais. Il n'était plus seul.

Dans l'immense usine, tout paraissait dormir. Dans les grandes salles envahies par la nuit, les gigantesques machines semblaient des monstres au repos. Jâ avançait prudemment, étouffant le mieux possible le bruit de ses pas. Une lueur apparut au bout d'un long couloir : Jâ s'empressa de se dissimuler derrière une machine ; quelqu'un approchait. La lueur s'intensifia, un homme passa, phare au front, immobilisateur à la ceinture ; il jeta un regard distrait sur la cachette de Jâ et disparut par l'autre porte. C'était un garde.

Jâ sortit du coin d'ombre et s'engagea dans la direction d'où était venu le garde, il consulta un plan peint sur le mur et passa une porte donnant sur un escalier. Il descendit au sous-sol. Là, d'immenses astronefs étaient rangés les uns à côté des autres, des quantités de lourdes caisses métalliques s'alignaient en face d'eux. Jâ tira de la poche de son slip une petite tige brillante. Il en posa l'extrémité sur la serrure d'une caisse. Celle-ci s'ouvrit instantanément, découvrant des rangées de cylindres rouges de la taille d'une bouteille. Jâ s'empara d'un cylindre et referma la caisse. Il remonta rapidement l'escalier, passa par la salle des machines et sauta au-dehors par un hublot.

Il fit une chute de dix mètres dans la cour et, choisissant les endroits noyés d'ombre, marcha vers le mur d'enceinte. Il n'eut pas de mal à retrouver la longue corde qui lui avait permis de pénétrer dans l'usine. Il se hissa au sommet du mur, l'enjamba et se laissa tomber dans la rue. Il s'enroula la corde autour de la taille et traversa toute la ville déserte pour retourner chez lui. La chance lui évita la rencontre d'autres gardes.

Arrivé devant son palais, il déroula la corde et braqua le grappin magnétique en direction de la terrasse. Celui-ci s'envola jusqu'au faîte de la construction. Jâ jeta un rapide regard autour de lui et rentra chez lui par un hublot du troisième étage. Il se dirigea vers la chambre de Nira. Celle-ci l'attendait.

– Tout a bien marché ? demanda-t-elle, anxieuse.

Jâ lui montra le cylindre rouge qu'il avait dérobé.

– Personne ne t'a vu ?

– Si quelqu'un m'avait vu, je ne serais pas là, ma chérie.

A ce moment, retentit la sonnette indiquant la présence de quelqu'un devant la porte du couloir. Ils sursautèrent. Nira mit un doigt sur ses lèvres et Jâ s'enferma dans la chambre voisine, la sienne.

– Oui ? dit Nira à l'invisible visiteur.

– Vous n'avez vu personne, Citoyenne ? dit une voix à travers la porte.

– Non, pourquoi ?

– Il me semblait avoir entendu du bruit dans le couloir.

– Ah ! C'est moi. Je suis allé chercher un somnifère, je n'arrive pas à dormir.

La voix murmura :

– Jâ Benal est dans sa chambre ?

– Naturellement ! Enfin je le suppose. Attendez ! Oui, il dort à poings fermés.

– Très bien, excusez-moi, Citoyenne. Dormez bien.

– Merci, Kowo.

Un pas s'éloigna dans la vaste demeure. Jâ rentra dans la pièce.

– Sacré Kowo, dit-il. Il prend vraiment son travail au sérieux. C'est à devenir enragé, parfois, de savoir que chaque domestique de cette maison est payé pour me surveiller.

Nira le calma d'une caresse sur la joue.

– Patience, Jâ. Tout cela aura une fin.

Jâ brandit le cylindre rouge.

– Voilà le commencement de la fin, dit-il en souriant. Cette bombe va faire des petits. Je suis fier de penser que c'est grâce à moi, à mes travaux sur la fonction Z, que les Terriens ont pu mettre au point le multiplicateur.

– Es-tu sûr de celui que tu as réussi à fabriquer ?

– Sois tranquille. J'ai rapporté une cerise de l'Eden, hier. Tu vas voir le résultat.

Il entra dans sa chambre et revint aussitôt avec un sac. Il le vida sur le hamac de Nira. Une centaine de cerises toutes semblables roulèrent. Elles étaient parfaitement identiques ; chacune avait la même petite tache marron sur le côté.

– Cette bombe pourra également en fournir cent autres, dit Jâ. Et chacune de ces cent nouvelles bombes en donnera encore cent, et ainsi de suite.

– Et ils n'ont pas soupçonné une minute l'utilité de ton multiplicateur.

– Non. J'y ai adjoint un fatras de mécanismes

compliqués qui le rendent méconnaissable. Ils sont persuadés que je fabrique un émetteur de rayons oméga ; c'est d'ailleurs un peu vrai. Je les ai éblouis en brûlant un pan de roc à dix kilomètres de distance, l'autre jour. Ils me laissent toute liberté de travailler là-dessus sur ma promesse d'améliorer la performance.

– Tout ça est très bien, dit Nira. Mais quand tu auras dix mille bombes, comment les cacheras-tu ?

– J'ai mon idée. A ce sujet, je voulais d'ailleurs te demander un travail difficile.

– Oui ?

– Peux-tu prendre connaissance des fiches secrètes du professeur Kam et du professeur Terol ?

– J'ai mes entrées au Conseil, comme tu le sais, mais ce ne sera pas commode.

Jâ posa les deux mains sur les épaules de Nira.

– Mon amour, dit-il, je sais que je te fais jouer un rôle dangereux et j'en souffre, mais la connaissance de ces fiches importe au succès de notre entreprise.

– Ne t'inquiète pas trop, Jâ chéri. Je saurai bien me débrouiller. Tu auras ça demain soir. C'est demain que je dois me présenter au Conseil pour mon rapport mensuel.

Jâ resta silencieux un moment.

– Et ta propagande de bouche à oreille ? demanda-t-il.

Nira poussa un soupir.

– C'est difficile, dit-elle, mais j'ai réussi à donner adroitement à quelques femmes l'idée que leurs sœurs terriennes sont bien plus heureuses qu'elles et que leur sort présent est un véritable esclavage. Les femmes sont bavardes, et aiment le merveilleux. Cela va se répandre.

24

Le lendemain, Nira fut reçue par l'Excellence. Le gros homme feuilleta d'un doigt distrait le rapport de la jeune femme.

– J'ai déjà lu tout ça, dit-il, puisque je reçois chaque jour vos observations. Vous ne venez pas ici tous les mois pour me répéter ce que je sais, mais pour me donner votre impression d'ensemble sur la personne que vous surveillez. Rien ne remplace les rapports directs.

– Mon impression d'ensemble tiendra en peu de mots, Excellence. L'hypothèse que Benal soit un espion terrien devient une certitude. Mais ils ne paraissent pas nous avoir envoyé quelqu'un de très habile. Jâ se contente de faire quelques allusions au bonheur dont jouissent les Terriens. Il essaye de sonder timidement l'opinion intime des gens qui l'entourent pour savoir s'il existe des Lunaires que n'enchante pas l'idée de se faire tuer pour leur patrie. C'est peut-être un grand savant, mais sûrement un espion ridicule. Il a l'air plutôt perdu. Mais quand j'essaye de le faire parler, il se ferme. Comme beaucoup de timides, il est très méfiant. Quoi qu'il en soit, ayez confiance en moi. Je suis sûre d'arriver à connaître ses instructions secrètes. Il paraît de plus en plus amoureux de moi.

Nira se tut et sourit en songeant que seule sa dernière phrase disait la vérité. Le gros homme se frotta le menton.

– Tout ça est très joli, mais je veux des faits.

Quand pourrez-vous m'annoncer la nouvelle que Benal vous a tout avoué et qu'il a une entière confiance en vous ?

Nira pensa : « C'est *moi* qui lui ai tout avoué. »

Elle répondit fermement :

– Dans un mois.

– Comment pouvez-vous être si précise ?

– Je suis sûre de moi, Excellence.

L'Excellence sourit.

– Vous êtes sûre de vos charmes, surtout.

Il continua le regard brillant :

– Quand cette histoire sera finie, je te prends comme femme. Ça me changera de toutes les petites imbéciles qui se sont succédé chez moi. Maintenant, file !

Nira devint cramoisie de colère et marcha vers la porte. Mais son attitude parut amuser considérablement l'Excellence.

Sur le point de sortir, elle se retourna.

– Excellence, dit-elle d'un ton un peu sec quoique déférent, j'aimerais, si la chose est possible, pouvoir consulter la fiche de Benal.

– Demandez à mon secrétaire, belle esclave.

La jeune femme tourna rageusement les talons et passa dans le bureau du secrétaire. La voix de l'Excellence retentit dans l'interphone.

– Donnez à Nira Slid connaissance de la fiche secrète de Jâ Benal. Il faut qu'elle le connaisse à fond.

– Bien, Excellence, dit le secrétaire.

Il fit signe à Nira et l'emmena dans une petite salle où se trouvait un écran. Il se pencha sur un micro et ordonna :

– Passez la fiche C.S.177 !

Presque aussitôt, l'écran s'éclaira et un texte y défila lentement :

« C.S.177, Jâ Benal, arrivant du 27.3.3692. Rescapé du 13.4.3692 : cinquante-cinq ans. Né à Staleve, Afrique. Chargé de cours à la faculté des sciences de Staleve à l'âge de quarante-trois ans. Brillant mathématicien... »

Nira fixait l'écran sans le voir, elle savait par cœur tout ce qu'on croyait lui apprendre. Elle se demandait comment elle pourrait connaître les fiches de Kam et de Tero, demandées par Jâ. A ce moment, le secrétaire parla :

– Excusez-moi, dit-il. J'ai du travail et cette fiche est particulièrement longue. Je vous laisse seule. Si vous avez besoin de relire le texte, commandez-le comme vous m'avez vu faire.

Il s'approcha du micro et dit :

– Obéissez aux ordres de la citoyenne Nira Slid.

Il s'en alla.

Nira eut une bouffée de joie. Elle se précipita le cœur battant sur les répertoires et chercha les matricules de Kam et de Terol. Par malheur, les fiches étaient classées par matricules et non par patronymes. Elle feuilleta désespérément le registre pendant que l'écran rabâchait pour la cinquième fois son texte. Enfin la chance lui sourit. Elle trouva le nom du professeur Kam.

Elle s'approcha du micro.

– Assez sur le C.S.177 ! coupa-t-elle. Passez la fiche A.A.32.

L'écran s'éteignit aussitôt et se ralluma deux minutes après. Les lettres défilèrent.

« A.A.32, Bor Kam, arrivant du 7.2.3570. Rescapé du 23.2.3570. Age : cent cinquante-deux ans. Né à Frisc, Amérique du Nord. Médecin cardiologue. Condamné à la peine capitale pour pratique d'euthanasie... »

A cet instant, Nira crut entendre quelqu'un arriver. Elle parla rapidement dans le micro.

– Arrêtez tout ! Merci.

L'écran s'éteignit juste comme le secrétaire revenait dans la pièce.

– Que faites-vous donc ? demanda-t-il. Il y a une demi-heure que vous êtes ici.

– Je me méfie de ma mémoire, dit Nira. J'ai préféré tout apprendre par cœur.

Le soir même, Nira rendit compte à Jâ du demi-succès de sa mission.

– Je tâcherai d'y retourner pour chercher le matricule de Terol, dit-elle.

– Non, dit Jâ, ce serait trop dangereux. Ne t'inquiète pas, Kam suffira pour l'instant.

Il rêva un moment.

– Condamné pour euthanasie ! reprit-il, songeur. Il aurait dû être réhabilité depuis longtemps. Il y a bien soixante-dix ans que l'euthanasie est devenue chose courante sur Terre. Ce n'était pas un criminel, mais un précurseur. D'ailleurs, il serait gracié automatiquement, étant donné son temps d'exil. Quelle est la date de sa condamnation, déjà ?

– 3570.

– Cent vingt-deux ans d'exil ! articula Jâ d'une voix lente.

– Pourquoi t'intéresses-tu à Kam ?

– Je vais m'en faire un allié.

– Tu crois qu'il acceptera ?

– Ce vieillard de cent cinquante-deux ans m'a paru tout à fait sage et ennemi de la violence. J'ai l'impression que la propagande officielle n'a pas de prise sur lui. Il l'a vue naître, cette propagande, il n'y croit guère. C'est un des premiers compagnons de l'Ancêtre. Il l'a connu à l'époque héroïque où celui-ci n'était pas encore nimbé de son prestige. De même que nous, il doit le juger comme une forte personnalité certes, mais aveuglé par le ressentiment et, disons le mot : fou à lier.

– Crois-tu ?

– J'en suis sûr. A chaque fois qu'il voit toutes les têtes s'incliner quand le nom de l'Ancêtre est prononcé, il fait comme les autres. J'ai surpris plus d'une fois une expression excédée sur son visage à ces moments-là.

– Et Terol ?

– Malheureusement, il t'a été impossible de consulter sa fiche. Mais c'est un ami de Kam, et j'ai l'impression qu'il a les mêmes opinions. Nous verrons plus tard si je me trompe...

Il s'interrompit.

– Nira ! Pourquoi fais-tu cette tête ?

Nira sursauta. Elle devint toute rouge.

– Je ne t'ai pas tout dit, murmura-t-elle. L'Excellence me veut.

Les paupières de Jâ se plissèrent, ses yeux brillèrent comme ceux d'un loup.

– Raconte un peu, dit-il.

– Il m'a dit textuellement : quand cette histoire sera finie, je te prends. Ça me changera de toutes les imbéciles qui se sont succédé chez moi. Maintenant, file ! Il m'a aussi appelée esclave.

– C'est tout ?

– Oui.

– Il ne t'a pas touchée ?

– Non. Qu'allons-nous faire, Jâ ?

Jâ serrait les poings.

– Ce gros porc ! dit-il. Tâche de le tenir à distance jusqu'à...

Nira secoua doucement les épaules. Elle coupa :

– Tu parles comme un Terrien. Comment veux-tu que je tienne à distance un membre du Conseil ? Il est tout-puissant.

Jâ marchait de long en large dans la pièce. Il s'arrêta devant un hamac et déchira rageusement la toile de plastique. Nira se jeta sur lui, l'étreignit.

– Voyons, Jâ, dit-elle. Je ne le reverrai pas avant un mois. On peut faire bien des choses en un mois.

Jâ se calma. Il caressa amoureusement les longs cheveux blonds.

– Tu as raison, dit-il. Il faut que je voie Kam le plus tôt possible.

25

Le professeur Kam était la bonté et la sagesse incarnées. Il devait d'ailleurs son exil à sa faiblesse devant la souffrance humaine. Il avait subi sa condamnation sans révolte, s'étant dénoncé lui-même après avoir abrégé l'agonie de malades grièvement brûlés lors d'une explosion accidentelle.

Considérant comme de son devoir d'effectuer un acte illégal mais qui constituait un cas particulier, il n'avait pas faibli devant un second devoir, livrer un homme ayant forfait à la loi : lui-même.

C'était une très, très vieille histoire. Depuis, il

avait été à même de condamner les excès de l'euthanasie lunaire. Celle-ci s'étendait en effet à toutes les bouches inutiles. Et Kam s'était heurté plusieurs fois à la volonté implacable de l'Ancêtre, à ce sujet. Il avait même catégoriquement refusé, en plein Conseil, de sacrifier des vies humaines et ne devait la vie qu'à sa valeur scientifique indispensable. Mais on ne réussit pas à obtenir sa collaboration pour l'œuvre de mort.

Indirectement, cette situation favorisa les progrès de la médecine. Car le vieux Professeur, s'acharnant à disputer à l'État tous les malheureux qu'il pouvait sauver, avait été conduit par cette passion à des découvertes sensationnelles qui avaient prolongé la vie humaine d'une façon considérable.

Il reçut avec plaisir la visite de Jâ Benal. Celui-ci avait décidé de jouer le tout pour le tout et d'entrer dans le vif du sujet. Il serra la main du vieil homme et lui glissa un papier qui demandait : « J'ai à vous parler, êtes-vous sûr que personne ne peut nous entendre ? » Étonné, Kam fit entrer Benal dans son bureau.

Ils s'installèrent sur des hamacs.

– Allez-y ! dit Kam.

– Professeur, je suis un espion terrien.

Jâ attendit une réaction quelconque du savant. Mais celui-ci se contentait de le regarder calmement et paraissait attendre la suite.

– Vous encaissez bien, constata Jâ.

Le Professeur haussa lentement les épaules.

– Pourquoi venez-vous m'avouer ça ?

– Parce que j'ai besoin de votre aide pour réconcilier la Terre avec son satellite. Je suis seul ici, le gouvernement terrien m'a donné des instructions difficiles à remplir. Je sais que vous êtes un homme bon et j'espère que vous ne me dénoncerez pas si je vous propose de collaborer à une œuvre de paix.

– Mon pauvre ami, dit le Professeur, je n'aurais pas besoin de vous dénoncer. Le Conseil est parfaitement renseigné sur vous.

– Ça, je le sais déjà, Professeur. Mais ce que le Conseil doit ignorer, c'est le but de ma visite chez vous. Il connaît ma personnalité mais ne sait rien de mes intentions.

Kam resta songeur.

– Encore des guerres, murmura-t-il. Vous allez susciter des troubles qui vont faire des victimes.

– Mon intention est de limiter les dégâts, Professeur. De toute façon, l'Ancêtre a mis au point la préparation d'une attaque de la Terre pour dans cinq ans. J'ai l'impression que ce coup de force serait beaucoup plus meurtrier.

– J'ignorais ce projet, dit-il. J'ai toujours considéré les ridicules litanies de l'heure des Imprécations comme un simple rite sans portée pratique... La guerre est vraiment prévue ?

– C'est pour l'empêcher qu'on m'a envoyé ici. Le gouvernement terrien propose la réhabilitation pour tous les déportés depuis plus de cinquante ans. Quant aux descendants, nés sur la Lune, il n'a absolument rien contre eux et leur permettra de se fixer ici ou là-bas suivant leurs désirs.

– Cela aurait été accueilli avec joie autrefois. Mais maintenant, la science lunaire et ses moyens de destruction sont au moins aussi puissants que les vôtres. Et puis, les déportés les plus vieux sont en général aux postes de commande. Ils ont derrière eux de longues années d'amertume. Quand

ils connaîtront les propositions de la Terre, ils répondront par un rire méprisant, et un ultimatum.

– Et ce sera la guerre, coupa Jâ. Professeur, tout cela n'aura pas lieu si vous m'aidez.

Le Professeur hocha la tête.

– Que voulez-vous que je fasse ? dit-il. Je suis un médecin. Quant à mon influence sur les membres du Conseil ou sur l'Ancêtre... Ils sont plutôt en froid avec moi, vous savez.

– Et Terol ?

– Ah, celui-là est un vieil ami. Mais j'avoue que j'ignore ses opinions. Nous n'avons jamais parlé politique. Il est surtout absorbé par son travail.

Jâ posa sa main sur le bras de Kam.

– Avez-vous des raisons de penser qu'il serait avec nous, s'il savait ?

– Il me semble que oui. Mais pourquoi tenez-vous à sa collaboration ?

– A cause de l'enmicrobainie, Professeur.

– Que voulez-vous dire ?

– Si nous avons un physicien de la classe de Terol avec nous, tout est sauvé. J'ai l'intention de faire sauter les arsenaux. Je puis disposer d'autant de bombes que je le désire, et les faire exploser par télécommande. La seule difficulté serait de les mettre en place aux endroits prévus. Une cloche d'enmicrobainie ferait mon affaire. Je réduirais mon stock de bombes, cent mille engins ne tiendraient pas plus de place dans ma main qu'une poignée de sable rouge dont je pourrais laisser tomber n'importe où une pincée, mais dont chaque grain minuscule aurait une redoutable force explosive. Privé de moyens offensifs, le bellicisme lunaire n'aurait plus d'effets.

– Comment pouvez-vous avoir en votre possession un tel stock ?

– Vous n'avez pas le monopole des inventions ahurissantes, sur la Lune. Les Terriens ont mis au point un appareil nommé multiplicateur. J'ai réussi à en monter un. J'ai volé une bombe dans le sous-sol de l'usine. Je peux la multiplier par dix, par mille, par un milliard.

Le Professeur se frotta le menton.

– Mais une fois réduites, dit-il, ces bombes auront une force explosive également réduite.

– Peu importe, répondit Jâ, si nous pouvons les placer facilement aux endroits précis où elles seront utiles. Que pensez-vous de l'effet produit par l'explosion de cinq cents micro-bombes par exemple, c'est-à-dire une pincée de sable fort réduite, au beau milieu d'un moteur. Imaginez le résultat en cas d'explosion dans un arsenal !

Kam se leva et marcha de long en large. Son acceptation de discuter était pour Jâ une preuve qu'il avait gagné la partie, au point de vue moral, tout au moins. Enfin le Professeur s'arrêta devant le jeune homme.

– Vous avez pris un gros risque en m'avouant tout cela, dit-il.

Jâ sourit.

– Il fallait bien que je prenne un risque un jour ou l'autre. Et je n'ai jamais vraiment douté que vous puissiez vous opposer à une œuvre de paix.

– Vous étiez bien sûr de vous.

– J'ai un certain don pour juger les hommes.

Le Professeur sourit à son tour et tendit la main à Jâ.

– Je vais parler à Terol. Je crois que je peux prendre avec lui le risque que vous avez pris avec moi. Ne revenez pas me voir, la police pourrait se poser des questions. Je vous ferai savoir si vous pouvez compter sur notre aide.

Sli, le secrétaire espion de Benal, se présenta devant l'Excellence.

– Eh bien, mon vieux, demanda le gros ministre, que trafique notre Citoyen ?

– Il est allé voir le professeur Kam, hier.

– Nous savons cela ; nous aurions une bien pauvre police si nous attendions seulement de vous de tels renseignements. Il est allé faire une visite de simple politesse à son « sauveur », comme il l'appelle.

– Vous pensez vraiment cela ? s'enquit le faux secrétaire.

– Ce que nous pensons ne vous regarde pas. On vous a donné un travail déterminé : surveiller les activités de Benal à l'usine, un point c'est tout. Votre rôle est de faire profiter au maximum la science lunaire de ses capacités tout en le chambrant assez adroitement pour qu'il se fasse une idée fausse de notre puissance. Avez-vous su vous débrouiller pour qu'il se croie libre, admis à tous nos secrets, et parfaitement au courant de toutes nos techniques ?

– Certes. Il passe son temps à nous faire des cours et à arborer des airs supérieurs qui me tapent sur les nerfs. Il est absolument persuadé que nous sommes dans l'enfance par rapport à la Terre. Il ignore que l'usine de Dav n'a aucune importance secondaire et ne fabrique que des engins relativement primitifs.

– Ils n'ont qu'une supériorité sur nous, coupa

l'Excellence, constituée par les multiples applications possibles du fameux problème de Stero. Dès que nos mathématiciens auront vérifié les calculs de Benal, plus rien ne nous manquera. Je m'étonne qu'il ait livré si facilement son secret.

– Il y a des moments où j'ai envie de l'emmener à Num, de lui faire tout visiter, de lui dire : « Regarde de quoi nous sommes capables. Et ça ! Et ça encore ! Vous n'en faites pas autant sur la Terre, hein ? Et maintenant, tu n'as plus besoin de prendre de grands airs. »

L'Excellence sourit.

– Oui, c'est tentant, mais ce serait contraire à nos plans. Il faut qu'il retourne chez lui persuadé de notre infériorité. Quand nous aurons tiré de lui le maximum, nous l'enverrons en mission spéciale ; il se prendra pour un brillant agent double, et le gouvernement terrien, renseigné par lui, nous croira incapables d'une attaque sérieuse.

26

Pendant un mois, Jâ travailla en secret. Il adjoignit à la bombe un dispositif permettant de la faire sauter à distance. Un jour, il trouva chez lui un mot du professeur Kam lui faisant connaître l'accord de Terol et lui demandant de déposer sa bombe entre les mains d'un médecin qui passerait le voir sous prétexte d'examiner sa jambe pour pallier une rechute.

Peu de temps après, Jâ demandait officiellement une entrevue avec Terol, arguant qu'il avait besoin de sa collaboration pour la mise au point d'un nouveau type d'astronef. L'Excellence fit la leçon au physicien et lui enjoignit de laisser Jâ Benal dans l'ignorance des techniques avancées de la Lune. Le ministre ne prit pas garde à la lueur ironique qui brillait dans le regard de Terol.

Le Terrien et le physicien conférèrent sérieusement pendant une bonne heure. Chacun d'eux était entouré de quelques ingénieurs et de l'inévitable Sli. Leurs propos parurent ce qu'ils étaient, c'est-à-dire absolument innocents, et Jâ fit tout au monde pour éliminer les témoins, mais sans succès. Au bout d'une heure, Terol prit congé en disant :

– Je serai toujours à votre disposition. Considérez ma science comme une chose que je vous donne. Avec vos moyens, vous saurez bien la multiplier par mille.

Jâ s'étonna de cette phrase alambiquée, mais en serrant la main de Terol, il sentit que celui-ci lui glissait un petit objet.

Dès qu'il fut seul, il examina la chose. C'était une petite boîte cylindrique d'environ deux centimètres de long. Elle était enveloppée dans un papier que Jâ déplia soigneusement. Sur le papier étaient inscrits ces mots : « Voici votre bombe. Méfiez-vous, elle est facile à perdre, n'ayant qu'une taille de deux millimètres. Vous trouverez son aspect changé, j'ai été obligé de la revêtir de stillite avant réduction. Bonne chance ! »

Jâ rentra chez lui et entraîna Nira dans le laboratoire secret qu'il avait monté dans une grotte de son éden particulier. Le cœur battant, il ouvrit la petite boîte et fit glisser avec précaution dans une capsule le petit grain brillant qu'elle contenait. Puis, il glissa le minuscule objet dans le multiplicateur et mit le courant.

Un quart d'heure plus tard, la capsule était remplie d'un fin gravier constitué par un bon millier de grains.

– Et voilà, dit Jâ. Je n'ai plus qu'à semer tout ça aux bons endroits, et répéter l'opération autant de fois qu'il sera nécessaire.

– La difficulté sera de t'introduire aux bons endroits, dit Nira. Comme ils savent qui tu es, tu ne penses tout de même pas qu'ils t'ont mis au courant de tout.

– Comment ça ?

– Tu pourras certainement faire sauter quelques arsenaux sans grande importance, mais la vraie puissance à anéantir réside autre part. As-tu entendu parler de la ville de Num ?

Jâ sourit.

– Ne t'inquiète pas pour Num. Ils ne me laisseront jamais en approcher, je le sais. Mais il me sera facile de convaincre Terol d'y déposer les bombes. Il fait partie de la mission de contrôle qui y est envoyée tous les trimestres. Rien de plus simple que de lui faire parvenir mon sable explosif. Les merveilles scientifiques de Num sauteront quand je voudrai... Et puis, j'ai une autre idée !

Jâ désigna une sphère métallique, grosse comme le poing, agrémentée de deux ailes plates.

– Sais-tu ce que c'est ? demanda-t-il.

– Avec toi, je m'attends à tout, sourit Nira.

– Eh bien, ce n'est pas quelque chose de tellement curieux, tu vas être déçue !

– Une autre bombe ?

– Pas du tout. Un simple appareil de radio, mais excessivement solide.

– Que vas-tu en faire ?

Jâ prit Nira par la taille.

– Comme pour les bombes, mais sur une plus grande échelle. Nous allons le réduire et le multiplier. Il me faut des tonnes de poussière dont chaque grain sera un poste semblable. J'inonde toutes les villes. On marchera dessus. Cette poussière se nichera partout, dans les coins, elle s'envolera comme font les graines de certaines plantes au moindre souffle, restera en suspension dans l'air des villes, on nagera dedans, on la respirera, impalpable. Et quand je parlerai, on entendra ma voix résonner partout, venue en apparence de nulle part, venue en fait de milliards de brins de poussière indiscernables.

Jâ serra Nira contre lui.

– Tu peux, dit-il, cesser ta dangereuse et primitive propagande. En attendant mieux, je vais enregistrer des phrases attestant la bienveillance de la Terre et répétées sans relâche devant un émetteur. La voix sera trop faible pour être entendue, car je réglerai au minimum l'intensité du son. Mais ce lointain murmure de paix pénétrera à leur insu dans le subconscient de tous les habitants de la Lune, par un lent goutte-à-goutte. Cette arme psychologique sera bien plus intéressante que les bombes, que je n'emploierai qu'en cas d'extrême urgence.

– Mais, Jâ, dit Nira, te rends-tu compte du travail et du temps effarant que tu devras employer à fabriquer des tonnes et des tonnes de poussière de récepteurs ?

Jâ, heureux et triomphant, éclata d'un grand rire confiant.

– Tu n'as pas tout vu, ma chérie. Regarde.

Il tendit le doigt vers le poste sphérique et alla pousser une manette.

Nira vit un deuxième globe apparaître aux côtés du premier. Puis chacun d'eux s'entoura d'un halo et donna naissance encore à deux autres ; les quatre ainsi obtenus se dédoublèrent bientôt et huit boules métalliques encombrèrent la petite table, deux roulèrent sur le sol. Jâ s'empressa de ramener la manette en arrière.

– Qu'en dis-tu ? demanda-t-il à Nira stupéfaite.

– Comment as-tu fait ?

– Chaque poste « est » son propre multiplicateur. Un seul grain de poussière, c'est-à-dire un seul poste, dans chaque ville, se multipliera indéfiniment et suffira à en infester la Lune. Cette poussière s'insinuera partout, comme les microbes d'une épidémie. Je n'aurai même pas besoin d'aller la semer ailleurs que dans Dav. Les hommes introduiront cette multitude microscopique partout à la semelle de leurs cothurnes.

« J'ai beaucoup travaillé pour arriver à ce résultat. Et remarque que je n'ai pas poussé la manette à fond. Si je l'avais fait, nous aurions été obligés de fuir sous la poussée effarante de milliers de globes se reproduisant à toute vitesse. Ce danger n'existera plus quand les globes seront réduits.

– Pourquoi n'en fais-tu pas autant pour les bombes ?

– Trop dangereux ! Je ne peux pas contrôler une poussière. Tout sauterait. Ce serait un massacre. Or, il s'agit de bâtir la paix si possible sans violence.

27

La chose se produisit aussitôt après l'heure des Imprécations. Dès que la dernière phrase eut été prononcée par la foule, une voix multiple et bienveillante emplit les rues, les maisons, les services publics, les édens, les antigés ou les fusées en vol. Omniprésente, elle murmura :

– Lunaires, vous n'avez pas besoin de chercher à conquérir la Terre. Elle s'offre à vous. Vos chefs vous ont menti. La Terre ne nourrit aucune intention belliqueuse. Il lui serait pourtant facile de vous anéantir et d'annihiler vos moyens de combat.

« Écartez-vous de vos arsenaux, écartez-vous des villes industrielles, car si vos mauvais bergers persistent dans leurs intentions, nous serons obligés de les faire sauter.

« La Terre ne vous veut pas de mal, la Terre vous offre la liberté. La Terre ne vous veut pas de mal, la Terre vous offre...

La voix diminua d'intensité, parut s'éteindre. En fait elle continua, très faible, indiscernable, à hanter le subconscient de tous avec sa dernière phrase. Cette phrase qui avait lanciné les esprits depuis déjà quinze jours sans être perçue par personne.

Dans les rues, la foule qui venait de reprendre son mouvement après avoir prononcé les Imprécations, s'était brusquement figée. Toutes les têtes se levèrent vers le globe terrestre, énorme, qui planait dans le ciel.

Après le premier moment de stupeur, les gens

commencèrent à échanger des réflexions. Des visages étonnés se penchaient à tous les hublots, s'interpellaient. Un murmure excité plana sur la ville, coupé par les ordres des gardes qui criaient « circulez » avec mauvaise humeur.

Mais la foule n'obéissait plus ; des groupes se formaient, discutaient. Seule l'arrivée d'antigés bourrées de gardes armés réussit à les disperser.

Le même scénario s'était déroulé dans toutes les villes de la Lune.

Quelques heures plus tard, le Conseil au complet se réunit dans la grande salle du Palais. D'habitude, un calme compassé régnait aux séances. Mais cette fois, la salle résonnait d'un brouhaha de voix excitées. Le président dut appuyer de toutes ses forces sur le bouton de sonnerie pour obtenir le silence des « Trente ».

– Excellences, dit-il, un événement grave vient d'avoir lieu. Pour la première fois, la Terre nous a parlé. Ce fait indique premièrement : que les Terriens connaissent nos projets et prennent l'initiative. Deuxièmement : que nous avons sous-estimé leurs moyens scientifiques, puisqu'ils ont réussi à vaincre le grand X, ce mur inconnu qui a toujours bloqué les essais de communications radio entre les deux planètes... Si toutefois il s'agit de radio. Qui demande la parole ?

Un bon tiers de l'assemblée leva la main. Flottant dans l'air, obstruant de minuscules recoins, traînant sur le sol, accrochés aux maillots, aspirés, puis expirés par les trente poitrines, des milliards de grains de poussière impondérables tournoyaient dans la salle. Chaque particule était un poste de radio réglé sur la même longueur d'onde que tous les autres.

D'un œil exercé, le président scruta le visage des postulants orateurs, il désigna l'un d'eux. Le premier par ordre alphabétique suivant l'habitude.

– A vous, Excellence ! dit-il.

L'homme gravit prestement les degrés de la tribune. Il ouvrit la bouche.

Au même moment, la grande voix de la Terre l'empêcha de commencer :

– Lunaires, dit-elle, voici ce que la Terre vous offre : réhabilitation pour tous les déportés depuis plus de cinquante ans ; liberté totale pour tous les fils d'exilés.

« Lunaires, attention ! Éloignez-vous de tous les arsenaux, éloignez-vous des villes industrielles de Num, Dav et Sacram. Il est hors de doute que vos gouvernants désirent la guerre. En conséquence, nous allons être obligés de faire sauter les endroits où réside votre puissance offensive. Nous répétons : éloignez-vous de tous les arsenaux, éloignez-vous des villes de Num, Dav et Sacram. Elles sauteront dans une heure.

« La terre ne vous veut pas de mal. La Terre vous offre la liberté. La Terre ne vous veut pas de mal, la Terre vous offre la liberté. La Terre ne vous...

La voix s'éteignit.

Le président s'était dressé, furieux. Il s'était rageusement bouché les oreilles et n'arrivait pas à comprendre pourquoi il entendait malgré cette précaution. Des réactions diverses agitaient l'assemblée. Les esprits, frappés du fait que toutes les Excellences, étant donné leur âge, se voyaient promettre la liberté par le gouvernement terrien, étaient dans la plus grande confusion.

– C'est un piège, criait quelqu'un.

– Ils sont plus forts que nous, abandonnons ! criait un autre.

Le gros homme qui dirigeait la police lunaire, et dont Nira dépendait, prit la tribune d'assaut.

– Excellences, dit-il d'une voix forte. Ne perdons pas notre sang-froid. Il y a plusieurs dizaines d'années que nous rêvons de revenir en maîtres sur la Terre... Même en supposant que leurs propositions soient sincères, ce qui reste une énigme (il martela la table), je me refuse absolument à revenir sur ma planète d'origine en simple prisonnier libéré. J'aime mieux mourir que de renoncer à mes ambitions, que d'accepter cette grâce humiliante.

– Pas moi ! cria quelqu'un.

– Traître ! dit une autre voix.

– Fou dangereux !

Tous ces hommes d'âge, habitués à la puissance, à la raison, étaient en pleine déroute mentale. Les injures se croisaient. Certains en venaient aux mains.

Sur le mur du fond, situé derrière le président, un immense écran s'illumina. Le mur devint transparent et le visage de l'Ancêtre apparut. Le tumulte cessa. Toutes les têtes se tournèrent vers le maître de la Lune, dont la figure gigantesque et impassible les observait.

Instinctivement, la plupart des membres du Conseil, formés par une longue habitude, s'inclinèrent profondément. Certains, par bravade, croisèrent les bras sur la poitrine et toisèrent le Vénérable avec insolence. Celui-ci parla :

– Jeunes fous, dit-il d'une voix sans timbre et chargée d'autorité, un choc émotionnel vous a bouleversés, vous n'êtes plus capables pour l'instant de discuter raisonnablement, de prendre des décisions. Je décide donc (sa voix s'enfla), j'ordonne... que chacun regagne son ministère et prenne les mesures d'urgence. Nous combattrons.

Un homme s'avança vers l'écran et, regardant l'Ancêtre en face, articula :

– Je refuse !

Puis il vacilla et tomba lourdement sur le sol sous les yeux stupéfiés de l'assistance. L'Ancêtre reprit :

– Ce traître est mort ! Voilà le sort qui attend ceux qui voudraient l'imiter. N'oubliez pas que je tiens chacune de vos vies entre mes mains, qu'il me suffit de presser un bouton pour exécuter n'importe quel membre du Conseil. J'ai sous la main trente télévibrateurs réglés sur la longueur bio-ondes de chacun de vous.

28

Dans la ville industrielle de Num, sur la face opposée de la Lune, une foule d'ouvriers se ruaient sur les sas de sortie. Il y avait longtemps que les dernières fusées étaient parties. Les gardes avaient tué du monde, mais s'étaient laissé submerger par la foule furieuse, en proie à une terreur panique.

Une longue file de réfugiés traversaient la plaine déserte en direction de la ville la plus proche. Leurs maillots ne pourraient leur fournir chaleur et oxygène que pendant cinq heures, ils le savaient. Aussi se hâtaient-ils de franchir la distance d'une centaine de kilomètres qui les séparait de la prochaine bourgade. Ils avaient quitté leurs lourds cothurnes et progressaient par bons de dix mètres.

Tous les gardes de Num avaient été écrasés, piétinés. Le gouvernement lunaire les avait intelligemment choisis parmi les nouveaux arrivants. Ceux-ci, pénétrés d'une haine toute fraîche pour la Terre et éblouis d'appartenir à une police après avoir été sous la coupe d'une autre, offraient les meilleures garanties de loyalisme. Depuis longtemps, la majorité des Lunaires haïssaient inconsciemment les gardes qui étaient pour eux à la fois des étrangers et des criminels. La notion d'être eux-mêmes des descendants de criminels s'était émoussée dans les esprits depuis des générations de Lunaires et ne gênait en rien cette haine paradoxale. Le choc produit par la grande voix de la Terre avait libéré tous les instincts.

Les arsenaux, les villes de Sacram et de Dav s'étaient également vidés. Benal et Nira avaient pris une antigé et s'étaient envolés vers Ptol. Jâ portait sur lui deux objets de peu de volume : le poste émetteur qui avait tant effrayé les Lunaires avait l'aspect d'un simple bracelet-montre fixé à son poignet ; le déclencheur des nombreuses micro-bombes placées aux endroits stratégiques était caché sous son aisselle, accroché au maillot.

De temps en temps, Jâ parlait dans son micro :

– Hâtez-vous, disait-il, plus qu'une demi-heure. La Terre ne vous veut pas de mal, la Terre vous offre la liberté.

Ils survolèrent un moment la foule, la dépassèrent et arrivèrent à la capitale. L'antigé décrivit une courbe gracieuse et stoppa devant le sas principal. Ils sautèrent hors de l'appareil et entrèrent dans la cabine de décompression. Jâ appuya sur un bouton. La porte claqua derrière eux et l'air artificiel pénétra en sifflant dans la cabine. La deuxième porte s'ouvrit. Ils entrèrent dans la ville. Un officier des gardes se dressa devant eux.

– Je vous ai vus arriver en antigé, Citoyens. Vous savez qu'il est défendu de s'en servir dans le vide. Vous allez...

– Il n'y avait plus de fusées disponibles, coupa Jâ brutalement, laissez-nous passer.

– Ah, c'est comme ça ! dit l'officier en colère.

Il fit signe à deux autres gardes.

– Emmenez-les !

Jâ cueillit son adversaire au menton d'un crochet du gauche. Il s'empara du désintégrateur de celui-ci et en menaça les autres.

– Laissez tomber vos armes, ordonna-t-il.

Les gardes obéirent. La foule s'amassait autour d'eux.

– Bravo, dit une voix.

– J'en avais assez de voir ces types-là faire les malins, c'est bien fait, cria une autre voix.

Jâ glissa les deux autres désintégrateurs dans sa ceinture, prit Nira par la main et se fraya un passage dans la cohue.

A cet instant, trois antigés de la police arrivèrent, sirènes hurlantes, et barrèrent la rue dans toute sa largeur. Les gardes sautèrent sur le sol et avancèrent vers le sas, ratissant la foule devant eux. L'un d'eux se trouva nez à nez avec Jâ, un éclair brilla dans ses yeux, il braqua son arme. Plus rapide, Jâ tira et sauta par-dessus le cadavre, entraînant Nira dans sa fuite.

Ils se jetèrent dans une rue transversale, entrèrent dans un immeuble et se laissèrent emporter jusqu'au sommet par le puits magnétique.

– On m'a reconnu, on me cherche, dit Jâ. Il faut absolument que nous arrivions au Palais. C'est le seul endroit où l'on ne pensera pas me trouver. Ce vieux truc marche toujours.

Il se pencha avec précaution à un hublot. La rue grouillait de gardes qui commençaient à fouiller les maisons. Après les premiers moments de désordre, le gouvernement paraissait avoir repris en main la situation.

Jâ fit signe à Nira de le suivre et pénétra sur une terrasse où étaient rangées cinq antigés. Ils en prirent une et s'éloignèrent vers le centre de la cité. Tout en pilotant d'une main, Benal regarda l'heure et parla dans son émetteur.

– Lunaires, dit-il, l'heure a sonné. Toutefois, nous vous laissons encore une demi-heure de sursis ! Éloignez-vous des arsenaux et des villes industrielles. La Terre ne vous veut pas de mal, la Terre vous offre la liberté. La Terre ne vous veut pas de mal, la Terre vous offre la liberté...

Il jeta un regard au-dessous de lui et un sourire détendit ses traits à la vue de la foule respectueuse et craintive qui regardait vers la Terre.

Ils arrivèrent en plein quartier administratif et se posèrent sur une terrasse proche du Palais.

Quittant leurs cothurnes, ils sautèrent par-dessus la rue et s'accrochèrent au toit de la grande bâtisse. Nira, qui connaissait bien la topographie de l'endroit, fit signe à Jâ de la suivre. Ils entrèrent par un hublot et suivirent un ou deux couloirs. Enfin, la jeune femme s'arrêta devant une porte et prononça son nom à haute voix. La porte se dématérialisa. Ils se trouvèrent dans une enfilade de vastes pièces tapissées de rayonnages numérotés. Des bobines métalliques s'étageaient jusqu'au plafond.

– Ce sont les archives, expliqua Nira. Certaines bobines sont des enregistrements sonores. La plupart ne transmettent qu'un texte écrit dont les mots défilent sur un écran.

Elle entraîna Jâ dans une salle plus petite que les autres.

– Personne ne viendra nous chercher là, dit-elle. J'ai travaillé aux archives autrefois. En deux ans, je n'ai entendu demander qu'une fois une bobine placée dans cette chambre.

– Quelle section est-ce ?

– Je n'en sais rien. On te demande le numéro de la bobine, tu la places dans ce petit puits magnétique et elle monte à l'étage supérieur, c'est tout. Quand on s'en est servi, elle redescend par le même chemin.

– Comment se fait-il que nous n'ayons rencontré personne ?

Nira sourit.

– C'est vrai, je suis bête, je m'explique mal. Tout est automatique.

Elle prit le bras de Jâ et désigna quelque chose dans la pièce voisine.

– Tiens, justement ! Regarde.

Jâ tourna la tête. Il vit deux bobines sortir de leur alvéole, rouler lentement sur un rail et aller se placer d'elles-mêmes dans le puits magnétique.

– J'ai fait ce travail à la main, pendant une panne qui n'a duré qu'une journée. D'habitude, je travaillais à l'étage supérieur, il suffisait d'appuyer sur le bouton numéroté correspondant pour obtenir la bobine demandée.

Jâ regarda l'heure. Il pâlit légèrement et mit un doigt sur ses lèvres. Il approcha sa bouche du micro qu'il avait au poignet.

– Lunaires, dit-il, la Terre va vous prouver sa puissance. Les arsenaux et les usines vont sauter.

Il s'empara du déclencheur placé sous son aisselle et en tira la poignée. Nira serra les dents en clignant des yeux, puis elle vit Jâ sourire et jeter le déclencheur dans un coin.

– C'est fait, déclara-t-il. Cette machine ne sert plus à rien. Tu t'attendais à entendre quelque chose ?

Nira fit oui en avalant sa salive.

– Grosse bête, dit Jâ en l'attirant à lui, tu sais bien qu'il n'y a pas d'usines à Ptol. Mais je peux t'affirmer que Num, Dav et Sacram sont en poussière.

Il reprit son émetteur et dit :

– Lunaires, votre gouvernement n'a plus d'armes interplanétaires à sa disposition ni les moyens d'en fabriquer d'autres avant plusieurs mois. Il est à votre merci. Mais n'oubliez pas que la Terre ne vous veut aucun mal, la Terre vous offre la liberté.

Pendant ce temps, le plus grand désordre régnait dans la capitale. Les gardes n'étaient pas assez nombreux pour faire face à la foule déchaînée des réfugiés qui avaient réussi à forcer les portes de la cité. Une centaine de policiers se trouva coincée au fond d'une impasse, ils braquaient leurs armes sur l'émeute. Un civil hissé sur les épaules de ses compagnons, leur adressait la parole.

– Soyez raisonnables, disait-il. Vous voulez nous faire quitter Ptol. Où irons-nous ? Dav n'existe plus. Là où était cette ville ne se dressent plus maintenant que des ruines. Le dôme a sauté. La vie est devenue impossible là-bas.

Il se tourna vers la foule.

– Citoyens, cria-t-il, il faut forcer le gouvernement à abdiquer. Allons tous au palais.

Cette proposition fut accueillie avec un enthousiasme délirant. Le remous d'hommes et de femmes qui piétinaient autour de l'orateur se transforma en un courant humain qui déferla vers le quartier administratif. Les gardes, se voyant oubliés, respirèrent un peu. Leur chef parla dans son poste portatif.

Aux abords du palais, la foule fut stoppée par un barrage de policiers. Elle tourna par une autre voie afin d'atteindre le palais par une autre rue : nouveau barrage. Le siège du gouvernement était protégé par une ceinture de gardes armés jusqu'aux dents. La multitude fit une molle tentative d'assaut qui fut aisément repoussée. Des cadavres jonchaient les rues.

A ce moment, la voix de la Terre se fit entendre à nouveau.

– Lunaires, disait-elle, votre gouvernement abdiquera de toute façon. Ne cherchez pas à obtenir sa chute par la violence. Ce n'est pas votre travail. Rentrez chez vous. Que chaque citoyen privilégié offre largement l'hospitalité aux réfugiés. N'ayez crainte. La Terre veille sur vous. La Terre va bientôt envoyer chez vous des troupes qui rétabliront l'ordre. Patientez quelques jours. La Terre ne vous veut pas de mal. La Terre vous offre la liberté.

Après avoir parlé, Jâ regarda quelques minutes la foule qui se dispersait en hurlant des cris de triomphe. Figés dans leur attitude hostile, les gardes n'avaient pas bougé.

Jâ quitta son hublot et tourna vers Nira un sourire triste.

– S'ils savaient la vérité ! dit-il.

– Que veux-tu dire ?

– S'ils savaient que tout cela vient d'un seul homme, obligé de se cacher comme un bandit. Un seul homme qui se demande comment faire pour avertir la Terre de ce qui se passe ; car la Terre ne sait rien. Quel malheur que tout contact radio soit impossible avec cette planète ! La Terre attend que je revienne faire mon rapport. Il faut absolument trouver un moyen d'y retourner. Sais-tu où nous pourrions trouver un astronef ?

– Tu les as tous détruits.

– Je n'ai détruit que les astronefs de combat.

Nira fronça les sourcils.

– Attends, dit-elle, il y a bien l'astro-gare du palais. Mais elle doit être gardée, surtout en ce moment. Elle contient de petits appareils destinés à porter au plus trois personnes. Ils sont utilisés pour envoyer des espions sur la Terre. Tem m'en a parlé. Il avait été envoyé plusieurs fois en mission.

– Nous n'en demandons pas plus, dit Jâ. J'aime mieux un petit appareil, il sera moins facilement repérable. Il faut que tu me conduises à cette astro-gare.

– C'est bien risqué, Jâ.

– C'est notre seule chance, essayons toujours. Nous n'allons pas rester ici cent sept ans. Mais auparavant, je veux vérifier une dernière fois mon enregistrement.

Ils se dirigèrent vers la petite salle où Jâ avait monté un électrophone caché derrière les rayonnages. Il avait eu la chance de découvrir des placards remplis de pièces détachées et de bobines vierges et s'était empressé d'enregistrer un texte qui répétait à voix indiscernable les litanies de paix attribuées à la Terre. Toutes les quatre heures, la voix s'enflait et disait :

– Lunaires, patientez quelques jours, la Terre veille sur vous.

Ainsi, Jâ était tranquille. Il pouvait s'absenter, retourner sur Terre, même, tout en sachant que sa propagande continuerait sans lui.

Il vérifia le bon fonctionnement de l'appareil, le mit en marche et introduisit l'émetteur qu'il avait au poignet dans cette logette faite pour lui en face de l'électrophone.

Ils revinrent dans la grande salle. Jâ s'arrêta un instant devant l'innombrable collection de bobines. De temps en temps, l'une d'elles roulait sur un rail, arrivait au puits magnétique et montait à l'étage supérieur. D'autres revenaient prendre leur place en sens inverse.

– Ils continuent à travailler, là-haut, dit Jâ. J'ai l'impression qu'ils seraient bien gênés si je bouleversais tout ça.

Une bobine passa à côté de lui. Il tendit la main pour la prendre. Nira l'en empêcha d'un geste.

– Tu es fou, dit-elle. Si ça ne tourne pas rond, ils vont venir ici pour voir ce qui se passe. Nous aurons du mal à en sortir. Et puis, veux-tu qu'ils trouvent ton électrophone ?

– Tu as raison, dit Jâ.

Il laissa rouler la bobine. Celle-ci s'avança lentement vers le puits et monta aussitôt. Jâ la vit disparaître avec un sentiment de malaise. Puis il haussa les épaules, passa un désintégrateur dans sa ceinture, en prit un autre à la main et confia le troisième à Nira.

– Tout va peut-être rater, dit-il. Embrasse-moi, ma chérie.

Ils s'étreignirent avec fougue. Enfin, Jâ se dégagea. Il regarda Nira dans les yeux.

– J'ai eu un moment de cafard, dit-il. J'ai eu tort. Nous allons réussir, Nira. Montre-moi le chemin.

La bobine épargnée par Jâ arriva à l'étage supérieur. Un homme s'en empara, en vérifia le numéro et la porta dans un autre puits qui l'aspira encore plus haut. Elle parvint entre les mains d'un autre fonctionnaire qui la plaça sur un appareil. La bobine se dévida lentement en silence, envoyant son texte dans les bureaux de l'Excellence.

Le gros homme scrutait l'écran ; les mots défilaient :

« C.S.177, Jâ Benal, arrivant du 27.3.3692. Rescapé du 13.4.3692. Age : cinquante-cinq ans. Né à Staleve... »

Une lueur mauvaise dans les yeux, l'Excellence attendait impatiemment la suite. Enfin, il lut le renseignement qu'il cherchait et inscrivit sur un papier : « bio-longueur : 87 ; type : A2 ». Il s'approcha du micro et dit : « ça va, merci ». L'écran s'éteignit.

Il passa en trombe dans le bureau de son secrétaire, considéra méchamment le hamac vide et bougonna :

– Traître ! obligé de tout faire moi-même.

Il s'approcha d'un plan de la ville accroché au mur, consulta son papier et pressa successivement les boutons marqués A2, puis les boutons rouges 8 et 7. Un point lumineux apparut au centre du plan.

L'Excellence eut un sursaut d'étonnement. Puis il se hâta vers un micro et hurla :

– Alerte générale ! L'homme que nous cherchons est caché dans le palais même. Prenez note. Biolongueur 87, type A2. Répétez !

Il parut s'impatienter.

– Allô, vous m'entendez ?

Il frappa le micro du poing.

– Allô, Mox ! Eh bien, quoi, mon vieux ?

Une voix nasilla :

– Excusez-moi, Excellence. Je ne sais plus où donner de la tête, la moitié de mes hommes sont absents.

– Les traîtres ! ragea le gros homme... Alerte générale, mon vieux. Jâ Benal est au palais. Bio-ondes : 87, A2. Trouvez-le en vitesse, et surtout prenez-le vivant ; l'Ancêtre le veut vivant. Armez-vous seulement d'immobilisateurs pour éviter tout accident.

30

Jâ et Nira couraient dans un couloir interminable. Enfin, ils arrivèrent à un puits et montèrent une dizaine d'étages. Un garde les arrêta.

– Nira Slid ! annonça Nira. Mission spéciale ! Les astronefs sont-ils prêts ?

– Oui, dit le garde, passez Citoyenne.

Il regarda Jâ d'un air vague. Une sonnerie retentit et le garde s'approcha d'un transmetteur.

– Oui, dit-il... D'accord !

Il se tourna brusquement vers Nira et Jâ qui s'éloignaient.

– Halte ! cria-t-il.

Les fugitifs stoppèrent.

– Désolés, Citoyens, dit le garde en s'approchant d'eux. Il y a alerte générale.

Il considéra Jâ avec suspicion, puis se tourna vers Nira en portant la main à son arme.

– D'ailleurs, vous avez l'air bien pressés tous les deux. Vous ne m'avez même pas montré votre ordre de mission.

Jâ ne s'attarda pas. Il poussa violemment le canon de son désintégrateur dans l'estomac du garde qui tomba à la renverse. L'arme de l'homme partit toute seule et Jâ sentit une brûlure à l'oreille gauche. Il poussa un cri de douleur et marqua un temps d'arrêt. Le garde en profita pour lui faucher les jambes d'un ciseau et tendit la main vers son arme.

– Laissez ça, dit Nira menaçante.

Elle tenait l'homme en joue. Celui-ci pâlit et se mit à vomir sur le sol. Jâ se releva et lui assena un coup de crosse derrière l'oreille ; l'homme s'effondra.

Jâ se précipita sur lui, le priva de son casque et de son pectoral et s'en revêtit. Nira lui fit signe et l'entraîna vers la terrasse. Un deuxième garde y faisait les cent pas.

– Mission spéciale, mentit la jeune femme. Mon nom est Nira Slid.

– Votre ordre de mission, Citoyenne !

– Elle me l'a montré, dit Jâ avec une assurance pleine de bonhomie.

Le garde était d'un naturel méfiant, il se tourna vers Jâ.

– D'où sors-tu, toi ? Je ne te connais pas.

– Je suis dans les gardes depuis seulement une semaine.

L'homme plissa les yeux.

– Je croyais que Slod était de service à l'étage aujourd'hui.

– Il était malade, je l'ai remplacé. Alors, oui ou non, tu l'ouvres, le tube de lancement ?

Le garde haussa les épaules et prit une clémettrice dans sa poche. Il s'approcha d'une porte métallique. Jâ marchait à côté de lui. Soudain, l'homme s'immobilisa, il avait remarqué l'oreille de Jâ qui dégoulinait de sang. Il fit un pas en arrière et dit :

– Décidément, je voudrais bien voir votre ordre de mission.

Sa main descendait vers sa hanche. Jâ bondit en avant et lui assena un terrible coup de crosse qui manqua son but. Son adversaire s'était éclipsé comme un chat. Emporté par son élan, Jâ le bouscula au passage. Ils tombèrent tous les deux et luttèrent sauvagement. Leur corps à corps les empêchait de se servir de leurs armes. Nira n'osait pas tirer. Le garde était très vigoureux ; placé sous Benal, il leva le genou et l'atteignit au ventre. Jâ roula de côté en réprimant un gémissement. L'homme se rua sur lui et le prit à la gorge. Jâ lui frappa le cou du tranchant de la main. Le garde hoqueta. Jâ renouvela son geste. L'étreinte du garde mollit. Violemment rejetée en arrière par un coup de manchette, sa tête heurta le sol. Il resta allongé.

– Vite, dit Jâ haletant, la clé !

– Inutile, dit Nira d'une voix lasse. Elle est tombée par-dessus le garde-fou.

Cinq hommes firent irruption sur la terrasse et dirigèrent leurs immobilisateurs sur les deux jeunes gens. Jâ et Nira se sentirent incapables de lever le petit doigt. « Ça me rappelle les gôrs », pensa Jâ.

On les enferma hâtivement dans une petite pièce hermétique en attendant les ordres. Jâ prit sa femme dans ses bras.

– Je crois que tout est fini cette fois, dit-il. Il aurait mieux valu que tu ne m'aies jamais rencontré.

– Voyons, Jâ...

Benal sentit les mains de Nira se crisper sur ses épaules. Il la regarda. Ses yeux s'étaient agrandis.

– Qu'y a-t-il, mon amour ?

– Oh, Jâ ! Ton oreille !

– Ce n'est pas grave !

– Elle est verte.

Jâ sursauta.

– Bon sang ! dit-il.

– Il faut demander le professeur Kam. On ne peut pas te laisser comme ça.

– Kam ?

Jâ retint sa respiration.

– Oui, Kam, bien sûr. Il me sauvera comme il l'a déjà fait.

Son cœur battait rapidement, il regarda Nira et sourit. Nira ouvrit la bouche et cligna les yeux.

– Je crois que nous avons eu la même idée ensemble, dit Jâ.

– Oui, souffla Nira.

– Avec Kam, nous pourrons tenter quelque chose à la faveur de l'opération.

Le visage grave de Nira s'illumina. Elle porta la main à sa bouche et la mordit jusqu'au sang. Jâ s'empressa.

– Mais tu deviens folle, dit-il. Tu saignes.

– Oui, dit Nira.

Elle toucha l'oreille de Jâ avec son doigt blessé. Le jeune homme recula.

– Voyons, Nira, qu'est-ce que...

– Parfaitement ! coupa Nira en frottant le sang de Jâ sur son doigt, je m'inocule la trichocystie. Nous serons opérés ensemble, Jâ.

– Petite folle !

– C'est le seul moyen de rester ensemble, voyons. Réfléchis un peu. Je vais moisir en prison. Si l'opération échoue, je ne te reverrai jamais. Si elle réussit et si Kam te fait évader, tu repartiras seul pour la Terre et Dieu sait quand nous nous reverrons. Crois-moi, c'est la seule solution.

– Et s'ils nous laissent mourir ?

Nira branla la tête.

– Ils ont besoin de nous pour nous faire parler, sinon ils nous auraient déjà tués comme des chiens. Ils vont nous envoyer d'urgence au vieux Kam.

Elle regarda son doigt et exulta.

– Regarde, Jâ.

Le jeune homme se pencha. il distingua un minuscule liséré vert autour de la plaie.

– Mes malades ont besoin de calme, se fâcha le vieux professeur Kam. Je ne réponds de rien si on leur impose des gardes dans leur chambre.

Sur l'écran, le visage de Mox parut très ennuyé.

– Bien, Professeur, dit-il. Faites donc comme vous voudrez. Je vais dire à mes hommes de surveiller simplement le couloir. Mais attention, vous savez que l'Ancêtre attache une grande importance à ces deux prisonniers !

– Je sais, je sais. N'ayez pas peur, dit Kam. Au revoir jeune homme.

Il coupa le contact et sortit de son bureau. il alla vers la chambre commune de Nira et de Jâ. Deux gardes y étaient installés. Le Professeur entra et dit :

– Je viens de parler à Mox; vous pouvez vous dérouiller les jambes dans le couloir.

– Nous n'avons pas d'ordres directs, dit un garde. La consigne est de rester dans cette pièce.

– Laissez-moi seul avec ces malades, dit Kam avec hauteur, et fermez la porte derrière moi. Que pouvez-vous craindre ?

Les gardes se regardèrent, hésitants. Enfin, ils sortirent.

Le Professeur s'approcha des jeunes gens.

– Alors, dit Jâ, vous allez nous sauver, Professeur ? Des petits scaphandres vont encore se balader dans notre anatomie ?

– Mais pas du tout, sourit Kam. Pensez-vous que nous avons dormi depuis votre opération ? Nous avons un sérum à présent. Une simple injection dans la cuisse va liquider vos trichocystes.

– Vous êtes un as, Professeur.

– Que vous dites ! Nous nous heurtons encore à des difficultés. C'est une maladie déroutante. Par exemple, voyez : vous avez déjà triomphé de l'invasion microbienne, il n'y a pas longtemps. Je m'étonne que vous soyez de nouveau réceptif. L'immunité ne dure sans doute que quelques mois. Enfin, notre sérum est déjà un progrès.

Il baissa la voix.

– Difficile de me débarrasser de ces gardes ! Nous allons faire semblant de vous opérer ce soir. Comme je vous l'ai dit déjà, l'opération est inutile. Je viendrai vous faire une injection, soi-disant pour vous endormir. En fait, ce sera votre injection de sérum antitricho. Vous ferez semblant de dormir profondément. Une fois dans la salle d'enmicrobainie, vous disparaîtrez. Les gardes ne vous trouveront plus. Faites-moi confiance.

Il sortit en mettant un doigt sur ses lèvres.

31

– Ce Benal nous a trompés sur toute la ligne, dit l'Excellence. On vient de me communiquer le résultat des vérifications de ses calculs sur la fonction Z, ils sont faux, volontairement faux. Quand pourrons-nous l'interroger, Professeur ?

– Demain, dit le professeur Kam. Pour l'instant, lui et sa complice dorment ; nous allons les opérer tout à l'heure.

– Sauvez-les à tout prix, Professeur. Je dois vous avouer que la dernière chance de notre civilisation repose sur vous. Il importe que nous connaissions tous les renseignements qui se cachent dans le cerveau de cet espion.

– Je les sauverai, dit Kam sans mentir.

– Ils ne seront pas trop faibles pour supporter une spectrographie cérébrale ?

– Certes non. Rassurez l'Ancêtre à ce sujet.

Il coupa la communication. Le visage adipeux de l'Excellence disparut. L'écran reprit son opacité. Le Professeur quitta son bureau et entra dans la salle d'opération. La porte en était gardée par des policiers. Kam leur fit signe de rester dans le couloir et ferma derrière lui. La salle était remplie d'étudiants. Jâ et Nirâ étaient allongés sur deux tables d'opération jumelles.

Dès que la porte fut close, Kam leur fit signe d'aller se placer dans une cabine d'enmicrobainie qui n'était autre chose qu'une antigé de stillite et ayant subi quelques modifications. Les deux faux endormis s'empressèrent d'obéir. Le physicien Terol monta avec eux pour piloter l'engin.

– Alors, vraiment, Kam, vous ne voulez pas nous accompagner ? demanda-t-il au professeur.

– Non, dit Kam.

Il désigna les étudiants.

– Je ne veux pas que ces jeunes gens qui sont dévorés à notre cause soient soupçonnés de complicité. Je veux tout prendre sous ma responsabilité au cas où nous serions accusés. Essayez de faire vite.

Il leur serra la main avec émotion et referma la

cabine. Le rideau de verre se baissa. La moitié de la salle s'illumina d'une lueur orange et la cabine rapetissa. Quand elle fut grosse comme une boîte d'allumettes, le rideau se releva. Kham saisit la petite cabine avec précaution et la regarda de près pour en distinguer les trois minuscules occupants. Il leur fit un signe d'adieu et alla déposer la cabine sur le bord d'un hublot ouvert. L'antigé s'envola comme un étrange insecte et disparut.

Le professeur Kam se tourna vers les étudiants.

– Et maintenant, voici la version officielle : Terol est un traître qui nous a endormis pour s'enfuir avec les prisonniers. J'espère que les Terriens viendront nous tirer d'affaire avant que la police ait poussé à fond son enquête.

Kam s'empara d'un objet ressemblant à une balle d'enfant et le projeta sur le sol où il explosa, libérant un gaz verdâtre. Tous les hommes, Kam compris, s'écroulèrent sur le sol, plongés dans un profond sommeil. Il serait impossible de les interroger avant trois jours.

Au bruit de l'explosion, les gardes envahirent la salle et donnèrent l'alerte.

La petite antigé prit de la hauteur. Elle s'éleva jusqu'à la dernière terrasse du Palais, celle qui menait au tube de lancement des fusées interplanétaires. Elle se posa près de la porte métallique donnant accès au hangar des astronefs. Jâ voulut sortir.

– Attendez, dit Terol, revêtez d'abord vos scaphandres.

Il désignait trois tenues de voyage spatial qu'il avait eu la précaution d'emporter. Ses compagnons obéirent. Enfin équipés, les trois lilliputiens sortirent de la minuscule antigé. Courbés en deux, ils passèrent sous la lourde porte qui surplombait le sol de quelques millimètres et se trouvèrent dans le hangar.

Un bruit de tonnerre les fit sursauter. Cela venait de la terrasse. Jâ regarda sous la porte et vit, adossé au parapet, un garde gigantesque qui, désœuvré, raclait paresseusement un de ses cothurnes sur le sol. Le garde paraissait avoir trois cents mètres de haut. Il bâilla bruyamment et Jâ crut entendre le rugissement d'un monstre. Le jeune homme eut un recul en voyant le regard distrait du géant se diriger vers lui. Puis il réfléchit que sa propre taille et l'ombre de la porte le mettaient à l'abri de tout risque d'être remarqué.

Cependant, le garde ouvrit de grands yeux. Jâ suivit la direction de son regard et sentit son cœur battre d'angoisse. Le géant avait vu l'antigé. Il s'approcha pesamment, chacun de ses pas ébranlant le ciment de la terrasse. Il se baissa. Jâ vit sa grosse main velue ramasser le petit appareil.

– Ça alors ! chuchota le garde lui-même.

Il examina l'antigé sur toutes les coutures.

– C'est un jouet ! conclut-il, un joli petit jouet. Ça doit être à Slod, il a un gosse.

Le garde mit l'antigé dans sa poche et retourna s'adosser au parapet en étouffant un nouveau bâillement.

Jâ fit signe à ses compagnons que le danger était passé.

– Je crois que nous pouvons parler à haute voix, fit remarquer Terol. En fait, nous chanterions à tue-tête que nos voix seraient encore trop faibles pour attirer l'attention d'un homme de taille normale. Le

seul danger est qu'ils nous marchent dessus par mégarde ou qu'ils nous aperçoivent. Et encore ! On ne prendra pas garde aux trois pucerons que nous sommes devenus.

– Oh, regarde, Jâ ! dit Nira.

Elle désignait un nuage d'une centaine de globes ailés flottant au-dessus d'eux. Ils descendaient lentement et commençaient à rebondir sur le sol lorsqu'un léger courant d'air passant sous la porte les chassa comme des bulles de savon.

– Ce sont vos postes de radio, dit Terol. Nous en avons déjà croisé des milliers tout à l'heure, en antigé.

Il poursuivit en souriant :

– Mais vous étiez trop occupés l'un de l'autre pour les remarquer.

Il se tourna vers les énormes fusées interplanétaires.

– Dire qu'il va falloir s'introduire là-dedans. Je me demande comment nous allons faire. La porte du sas est au moins à vingt mètres au-dessus de nos têtes. Enfin... disons vingt millimètres.

Ils s'approchèrent d'une fusée.

– Nous perdons la tête, fit remarquer Jâ. Pourquoi n'allons-nous pas directement dans l'appareil qui est déjà placé dans le tube de lancement ?

– Il faut croire que l'originalité de notre situation nous fausse l'esprit, dit Terol. Allons, en route vers le tube ! Ce tube si proche de nous, mais que nous allons mettre une demi-heure à atteindre avec nos petites jambes.

« Lunaires, patientez quelques jours, la Terre veille sur vous ! »

A cette voix, les trois compagnons avaient plaqué leurs mains sur leurs oreilles.

– Bon sang, dit Jâ. J'ai cru que mes tympans allaient éclater.

– Vous avez bien fait les choses, remarqua Terol, mais vous n'avez pas pensé à tout. Votre propre voix va vous incommoder toutes les quatre heures.

Jâ sauta vers un globe planant à proximité et l'attrapa par les ailes, il l'approcha de son oreille et entendit susurrer : « La Terre ne vous veut aucun mal, la Terre vous offre la liberté. »

– Ils sont tous en excellent état de marche, dit-il.

Il fronça les sourcils.

– Mais c'est bizarre !

– Quoi donc ? demanda Nira.

Jâ montra le poste.

– Tout à l'heure, ils me semblaient gros comme des balles d'enfant. Celui-là est plus petit. Est-ce que la réduction n'aurait pas été uniforme ?

Terol jeta un regard sur sa montre, puis observa d'autres postes qui s'élevaient ou descendaient au gré des faibles remous d'air.

– Non, dit-il, ils sont tous absolument identiques, c'est nous qui grandissons. J'avais calculé que nous reprendrions notre taille normale en trois jours. J'ai dû faire une erreur.

– Vous avez trouvé le moyen de...

– Oui, excusez-moi de ne pas vous avoir mis au courant dans la précipitation des événements, nous n'aurons pas besoin de cloches d'enmicrobainie pour retrouver notre aspect naturel. Nous avons mis au point une petite technique empêchant la réduction d'être définitive et en limitant l'action à un délai prévu.

– Le garde va sentir sa poche se gonfler, sourit Nira.

– Oui, dit Terol. L'antigé va grossir aussi. C'est

pourquoi il nous faut agir vite. Nous allons passer par la période dangereuse où nous serons trop grands pour échapper aux regards et pas assez pour nous défendre.

Ils arrivèrent auprès du tube de lancement.

– Dire que de loin je croyais voir le métal d'un poli parfait. Regardez comme la surface en est granuleuse pour des êtres de notre taille, nous avons toutes les prises voulues pour grimper facilement jusqu'au sas.

– Comme des fourmis marcheraient tranquillement sur un mur vertical, dit Nira.

– Exactement.

– Mais comment ouvrirons-nous la porte ?

– Tout est prévu de ce côté-là. J'ai une polyclémettrice, dit Terol en brandissant l'objet. Que nous arrivions jusqu'à la touche rouge de la serrure et la porte s'ouvrira. C'est quelquefois utile d'être physicien.

Ils entreprirent la longue ascension. Plus ils montaient, plus la tâche s'avérait difficile, les anfractuosités du métal offraient de moins en moins de prise. Jâ en fit la remarque.

– Dépêchons, dit Terol. Je crois que nous grandissons encore, c'est là la raison de nos difficultés. Si nous nous attardons à mi-chemin, nous allons nous casser la figure.

– Nous sommes décidément idiots, déclara Jâ. Vous auriez dû rester tous les deux beaucoup plus bas. Je serais monté tout seul jusqu'à cette maudite serrure. Il était inutile de multiplier les risques. Passez-moi la clé, Terol.

– Je crois que vous avez raison, dit Terol haletant. Venez, Nira, redescendons. Laissons faire l'athlète de service.

– Fais attention, mon chéri, dit Nira inquiète.
– Ne vous en faites pas pour moi.

32

Jâ continua seul. Il vit ses compagnons disparaître peu à peu vers le bas, comme au flanc d'une montagne au versant abrupt. Il leva la tête, la serrure n'était plus qu'à une cinquantaine de mètres, à son échelle. Mais les reliefs de la porte géante s'amenuisaient. Jâ calcula que s'il continuait à grandir à la même vitesse, il n'aurait jamais le temps d'atteindre son but. Il chercha autour de lui et se traita mentalement d'imbécile. A une centaine de mètres à gauche il voyait le joint de caoutchouc de la porte étanche, dont les irrégularités étaient beaucoup plus rassurantes que celles du métal. Il profita d'une rainure horizontale et progressa le plus vite possible vers la gauche. Il atteignit enfin le bord de la porte et soupira de soulagement.

L'ascension devint beaucoup plus facile. Le jeune homme arriva rapidement à la hauteur de la serrure. Il examina la cloison et s'aperçut qu'il lui serait désormais impossible de s'accrocher au métal, les prises n'étant plus suffisantes. Il prit la polyclé et, risquant le tout pour le tout, la lança en direction de la serrure.

La petite tige métallique fila vers la tache rouge, commença à retomber avant de l'atteindre et, tournoyant, en frôla l'extrême bord inférieur. La porte s'ouvrit avec un déclic et Jâ faillit être déséquilibré par la secousse.

Heureux, il s'empressa de redescendre. Le sas était ouvert. Il allait falloir s'attaquer à la deuxième porte.

Quand Jâ eut rejoint Nira et Terol, il se sentit fatigué. Une sensation d'épuisement le contraignit à s'asseoir sur le sol. Comme dans un rêve, il remarqua que ses compagnons paraissaient également affectés. Il sombra dans une demi-inconscience.

Après un temps indéterminé, il ouvrit les yeux et vit Terol occupé à essayer de faire revenir à elle la jeune femme. Jâ joignit ses efforts à ceux du physicien et Nira s'éveilla enfin.

– Que nous est-il arrivé ? demanda-t-elle.

– Regardez-vous, bougonna Terol. Cette sensation d'étouffement était symptomatique, nous avons grandi trop vite.

Jâ compara sa propre taille à celle de la grande porte.

– Je mesure bien dix centimètres, il me semble.

– Oui, et nous pouvons nous dépêcher si nous ne voulons pas nous faire prendre. Nom d'un chien !...

– Quoi ?

– J'allais oublier autre chose, dit Terol en se fouillant fébrilement.

Il tira de sa poche une petite boîte et en vida le contenu dans sa main.

Il tendit aux autres de petites pilules blanchâtres.

– Avalez-en chacun une, ordonna-t-il.

– Pour quoi faire ? demanda Jâ après avoir obéi.

– Pour modifier votre type de bio-ondes, malheureux ! Je m'étonne qu'ils ne nous aient pas encore trouvés.

– Vous êtes plein de ressources, Terol, dit Nira.

– C'est possible, avoua le physicien, mais je n'ai guère de présence d'esprit. Eh bien, Jâ, si vous fermiez cette porte derrière nous.

Jâ passa dans le sas, suivi de ses compagnons. Sa taille lui permettait maintenant des prouesses. Sans se fatiguer inutilement à grimper jusqu'à la serrure, il jeta la polyclé en l'air et atteignit la tache rouge du premier coup. Mais la porte ne se ferma pas.

– Elle a touché du mauvais côté, dit Terol. Recommencez !

Au quatrième essai, la porte claqua derrière eux et le sas se vida automatiquement de l'air qu'il renfermait.

Ce fut presque un jeu d'enfant de franchir la deuxième porte et de pénétrer dans la fusée par la même méthode.

– Nous n'avons plus qu'à partir, dit Terol. Mais il faudra attendre d'avoir grandi encore. Je n'aurais jamais la force d'appuyer sur le bouton de départ.

– Nous avons vécu des heures fatigantes, dit Benal. Je propose que nous cherchions une cachette à notre taille en attendant le moment d'agir. D'ici-là, n'importe qui pourrait nous surprendre et tout serait à l'eau.

– Avec nos désintégrateurs, nous pourrions soutenir un siège en règle, remarque Nira.

– Certes, dit Terol. Mais c'est une éventualité qu'il vaut mieux ne pas envisager.

Jâ se glissa sous le tableau de bord.

– Pensez que vous allez encore grandir pendant

votre sommeil, dit Terol. Vous risquez de vous trouver coincé là-dessous. Je crois qu'il vaut mieux veiller chacun notre tour. Je vais commencer. Si votre taille prend des proportions gênantes, je vous avertirai.

Jâ protesta. Il voulait veiller le premier. Mais le physicien finit par lui faire admettre que les efforts physiques qu'il avait fournis lui donnaient droit à un repos immédiat.

Le garde de la terrasse marchait de long en large. De temps en temps, il se grattait la cuisse. Quelque chose le gênait. Il s'accouda au parapet et poussa un faible cri de surprise. Coincé entre lui et la rampe, un angle de l'antigé l'avait meurtri.

Il mit la main à sa poche et en sortit sa trouvaille. Ses sourcils se froncèrent. Il n'avait pas la berlue, pourtant. Il était sûr d'avoir ramassé un jouet grand comme une boîte d'allumettes. Celui-ci était beaucoup plus volumineux. Il avait failli déchirer sa poche.

Le garde posa l'objet sur le sol et le regarda d'un air méfiant. Sa surprise s'accrut soudain. Il lui sembla voir l'objet grandir à vue d'œil. L'homme se contraignit à fermer les paupières pendant cinq minutes. Quand il regarda à nouveau, l'antigé avait vingt centimètres de long. Le garde siffla doucement entre ses dents et quitta son poste. Il pénétra dans le Palais et parla dans le transmetteur.

– Ici, garde de la terrasse. Passez-moi le citoyen Mox. Quoi ? Il est occupé ? Passez-moi son secrétaire alors. C'est important.

En attendant, le garde jeta un coup d'œil à l'antigé. Celle-ci grandissait toujours.

– Oui ? dit le garde. C'est vous ? Écoutez un peu ce qui m'arrive. J'ai trouvé une antigé minuscule tout à l'heure. J'ai pensé que c'était un jouet. Mais depuis, elle n'arrête pas de grandir, elle a au moins un mètre de long.

Une voix précipitée nasilla dans l'écouteur.

– Puisque je vous le dis, dit le garde avec mauvaise humeur. Je ne suis pas fou... Bon, je vous attends.

Il quitta le transmetteur et revint à l'antigé. Celle-ci paraissait avoir stoppé sa mystérieuse croissance. Le garde s'assit sur le parapet et ne quitta pas l'objet des yeux.

Au bout de quelques minutes, un homme apparut sur la terrasse. Il était suivi de deux officiers des gardes. Il considéra pensivement le petit appareil et se fit répéter l'histoire de sa découverte. Enfin, il prit une décision.

– Suivez-moi, dit-il aux hommes qui l'accompagnaient. Et vous, ouvrez-moi le hangar.

Ils fouillèrent minutieusement le hangar sans rien trouver de suspect. Ils s'approchèrent de la porte du sas.

– Ouvrez-moi ça, commanda l'homme.

33

– Qu'est-ce que... ? fit Jâ.

Puis il se tut, le visage grave, Terol avait mis un doigt sur ses lèvres.

– On vient ! souffla-t-il. Laissons-nous glisser dans la soute à bagages.

Les trois amis sautèrent à l'étage inférieur par une ouverture circulaire. Ils se blottirent dans les angles les plus sombres de la petite pièce.

Bientôt, ils entendirent claquer la porte du sas. Puis des pas lourds ébranlèrent les cloisons métalliques de l'appareil. Après avoir déambulé quelques minutes dans la chambre de pilotage, les pas se rapprochèrent de la soute à bagages. Les fugitifs braquèrent leurs désintégrateurs sur l'ouverture supérieure.

Un visage tendu se pencha au-dessus d'eux, une lampe balaya rapidement le plancher de son faisceau lumineux.

– Personne ! dit l'homme. Je...

Il s'interrompit et éclaira un point précis de la pièce. Nira se sentit enveloppée de lumière. Elle tira. La tête du garde pendit lamentablement vers le sol où son casque tomba avec bruit.

– Ils sont là ! clama une voix.

Le cadavre disparut, tiré sans doute par les autres gardes. L'ouverture redevint vide.

– Ils sont armés, dit la voix, ne vous montrez pas. Vous ! Allez donner l'alerte.

Jâ jeta un bref regard à Terol, puis il se précipita

sur l'échelle métallique. Sa taille réduite ne lui permettait pas d'y grimper normalement. Il s'éleva par une vingtaine de rétablissements successifs de barreau en barreau.

Accroupi sur le dernier échelon, le jeune homme se dressa peu à peu, puis il passa lentement son désintégrateur au-dessus de sa tête et tira au hasard dans la chambre de pilotage.

Un cri retentit, puis un bruit sourd. Et brusquement, toute la fusée fut ébranlée par une terrible secousse. Jâ retomba en arrière et s'évanouit.

L'imposant visage de l'Ancêtre, s'étalait sur l'écran situé dans le bureau de l'Excellence. Le gros homme était plié en deux devant son maître. A ses côtés, dans la même position servile, se trouvait un autre homme.

– Je n'oublierai pas votre dévouement, disait l'Ancêtre. Vous, Excellence, pourrez accéder aux plus hauts honneurs. N'oubliez pas que je ne suis pas éternel et qu'un jour ma place sera vacante. Quant à vous, jeune homme, l'un des seuls médecins qui ne m'aient pas trahi, vous êtes assez capable pour remplacer le traître Kam. Je vous félicite d'avoir eu l'idée de le spectographier à son insu. Nous savons tout maintenant. Nous savons que cette impressionnante voix de la Terre n'est qu'une comédie due à l'esprit rusé de Jâ Benal. Nous savons que notre victoire dépend de la capture ou mieux de l'anéantissement des trois fugitifs, ce qui ne saurait tarder.

« Excellence, avez-vous des nouvelles des télédésintégrateurs ?

– Ancêtre vénéré, dit l'Excellence, nous avons les

trois nouveaux types de bio-ondes des fugitifs, nous n'avons plus qu'à régler les télédésintégrateurs sur leurs longueurs respectives. C'est une question d'heures. Les physiciens qui vous sont restés fidèles sont à l'œuvre. Malheureusement, l'équipe des ingénieurs n'est pas au complet et cela retarde leur travail.

– Le passage du grand X par la fusée volée est également une question d'heures. Dites aux physiciens de faire vite et tenez-moi au courant.

« Tâchez également de trouver l'endroit où Jâ Benal a caché son émetteur. Ces phrases stupides attribuées à la Terre sont insupportables et abaissent le moral de la population.

En tirant au hasard dans la chambre de pilotage, Jâ avait eu la chance d'atteindre un garde. Celui-ci en tombant s'était rattrapé au tableau de bord et avait appuyé à pleine paume sur le bouton de départ.

La fusée avait bondi vers le ciel à une vitesse folle qui annihila toute conscience chez ses occupants. Jâ reprit le premier ses sens. Il s'assura de la santé de Nira et de Terol. Il allongea confortablement sa compagne évanouie, elle n'était pas en danger. Quant à Terol, il s'effraya de constater que celui-ci avait le visage inondé de sang sous son masque transparent.

Jâ s'empressa de lui retirer son casque et vit que le physicien était mort. Il ne devait plus être tout jeune et son organisme usé n'avait pas résisté au démarrage trop rapide. Jâ, peiné, mit amicalement la main sur l'épaule du mort et lui ferma les yeux.

Il grimpa l'échelle le plus vite possible et entra

dans la chambre supérieure. Trois hommes allongés jonchaient le sol. Deux d'entre eux étaient morts. Le troisième respirait faiblement. Jâ s'empara de toutes les armes qu'il trouva et les mit en sûreté dans la soute à bagages. Il y trouva Nira debout et chancelante.

– Repose-toi, mon petit, lui dit-il. Il n'y a plus de danger, nous filons vers la Terre.

– Je... Ça va, Jâ. Je me sens de mieux en mieux. Quelle secousse !

Elle regarda le physicien allongé.

– Jâ, dit-elle, est-il... ?

Jâ inclina lentement la tête. Les yeux de la jeune femme s'embuèrent.

– Pauvre Terol !

Jâ prit Nira par les épaules.

– Ma chérie, dit-il, s'il pouvait nous voir et nous parler, je sais ce qu'il dirait : « Jeunes gens, ne vous occupez pas de moi. Ça ne servirait plus à rien. Dépêchez-vous de neutraliser le garde qui est encore vivant à l'étage au-dessus et accomplissez votre mission. Prévenez la Terre le plus vite possible, pour éviter de perdre d'autres vies humaines. »

Nira s'essuya les yeux.

– Tu as raison, dit-elle. Il n'en reste qu'un là-haut ?

– Oui, et je l'ai désarmé. Malgré notre petite taille, nous sommes les maîtres à bord. Viens m'aider à le tenir en respect.

Ils s'empressèrent de remonter. Le garde s'était assis et tenait à deux mains sa tête douloureuse. Il jeta sur les deux petits êtres qui le tenaient en joue un regard hébété.

– Levez-vous, dit Jâ.

L'autre obéit et se dressa péniblement.

– Vous allez m'aider à nous débarrasser des cadavres. Ouvrez le sas à déchets. Continue à le tenir en joue, Nira.

Les deux morts eurent bientôt disparu dans le vide. Jâ ne voulut pas se séparer de la dépouille de Terol.

– Nous l'inhumerons sur la Terre, dit-il. Il peut rester trois jours avec nous sans nous incommoder. Asseyez-vous aux commandes et n'oubliez pas que je vous surveille étroitement.

Le garde s'exécuta avec humeur.

– Vous croyez vous en tirer, ricana-t-il. L'Ancêtre aura tôt fait de trouver votre type de bio-ondes. Vous serez désintégrés.

– Pas du tout, sourit Jâ. Nous avons passé le grand X, les rayons ne nous atteindront plus. D'ailleurs, nos types de bio-ondes ont été changés, il n'aura pas le temps de capter notre nouveau type, nous serons trop loin.

– Ils ont passé le grand X ? dit l'Ancêtre. Très bien, attendez mes ordres.

Il éteignit l'écran, resta immobile un instant et éclata d'un rire bref. Puis il marcha de long en large dans la pièce, le front plissé par d'amères réflexions.

La partie était perdue. Si le gouvernement terrien était mis au courant de la situation sur la Lune, il s'empresserait d'envoyer une armada de fusées à la conquête du satellite et n'aurait aucune peine à faire la loi chez une nation privée de tout moyen de défense, ou presque.

Il était inutile d'organiser une résistance quelconque. La majorité des Lunaires étaient déjà acquis à la cause terrienne. C'était la fin de plus d'un siècle d'efforts tendus vers un seul but.

Les Terriens n'auraient aucune pitié pour l'Ancêtre. Il aurait d'ailleurs ressenti cette pitié comme une injure. Quelle issue lui restait-il sinon la mort, la mort volontaire ? L'Ancêtre passa devant un miroir et se regarda.

– Tu es le grand rebelle ! dit-il à son image. Le plus grand homme ayant existé. Tu n'accepteras pas une défaite humiliante. Tu auras une fin digne de toi. Comme ces anciens souverains qui entraînaient dans la mort toute leur famille et tous leurs esclaves à leur suite, tu vas anéantir avec toi l'humanité tout entière.

Il fit encore un petit rire sec. Une étincelle de folie brillait dans ses prunelles. Face au miroir, il leva les bras, dans une pose théâtrale. Puis il avança vers le mur, l'air inspiré, un sourire figé au coin des lèvres. Une porte secrète se dématérialisa ; le vieillard descendit les nombreuses marches d'un escalier monumental. Un halo lumineux naissait sous ses pas et mourait derrière lui.

Il parvint à une vaste salle ronde et, très droit, s'avança vers l'estrade de basalte qui trônait au milieu et supportait une espèce de sarcophage.

– Voici mon dernier lit, psalmodia le dément. Voici mon dernier séjour. A l'instant où ma tête s'appuiera sur ce coussin, le couvercle claquera sur mon corps et l'enfermera pour toujours. A l'instant même où le couvercle claquera, la Lune, ma belle Lune éclatera en milliards de corpuscules désintégrés, fuira en poudre étincelante à travers l'espace, enroulera la Terre dans une ronde insensée avec moi au milieu, intact dans mon sarcophage.

« Et pendant des millénaires, je mènerai autour de la Terre une ronde infernale. Autour de la Terre qui va basculer sur son axe, autour de la Terre haïe et morte, éternellement prisonnière de l'anneau lumineux formé des glorieux débris de ce qu'elle avait de plus grand et de plus précieux.

L'Ancêtre s'approcha à pas lents de l'estrade, en gravit les degrés d'une façon solennelle. Il s'allongea dans le sarcophage, inclina lentement la tête en arrière, la posa sur le coussin d'étoffes précieuses. Le couvercle claqua sur lui.

Une seconde de calme effrayant s'ensuivit, puis la pièce parut basculer, les murs se lézardèrent, un océan de flammes multicolores submergea tout.

34

Le garde, pilote malgré lui, avait été lié aux commandes. Jâ et Nira s'étaient installés derrière lui sur le rebord d'un hublot, position facilitée par leur taille réduite.

– Nous ne grandissons plus du tout, s'inquiéta Nira.

– C'est gênant, évidemment, répondit Jâ, mais Terol avait calculé que nous serions revenus à notre taille normale dans trois jours. Nous ne sommes qu'à la fin du deuxième jour.

– Je suis un peu inquiète malgré tout. Il avait été obligé de travailler vite pour réussir à limiter l'action enmicrobainique. Les à-coups de notre croissance prouvent que sa technique n'était pas au point.

– Quand la Terre sera intervenue, une fois la paix retrouvée, nous aurons tout le temps de nous faire grandir au cas où nous serions stoppés à dix centimètres.

Nira regarda la Lune par le hublot. Elle pâlit, posa sa main sur le poignet de Jâ et le serra de toutes ses forces. Étonné, Jâ suivit la direction de son regard. Il serra les dents : la Lune se scindait en trois morceaux, qui se subdivisaient eux-mêmes en une multitude de grumeaux laiteux. Puis les débris du satellite prirent l'aspect d'une nuée lumineuse qui s'effilochait à une rapidité folle en amorçant une ellipse autour de la Terre.

Des blocs rendus incandescents par leur vitesse grossissaient à vue d'œil, arrivaient comme la foudre vers cette minuscule poussière qu'était la fusée dans le vide.

– Vitesse maximum ! hurla Jâ à l'adresse du pilote figé par la stupeur.

Ce cri lui fit l'effet d'une douche froide, il se cramponna aux commandes et accéléra en direction de la Terre. La fusée tangua fortement, fit un tour complet sur elle-même et dévora l'espace.

Jâ et Nira roulèrent sur le sol. Le jeune Terrien se releva aussitôt et consulta les cadrans du tableau de bord. Puis il grimpa le long du maillot du pilote et se percha sur son épaule.

– Vous ne l'avez pas fait exprès, lui cria-t-il dans l'oreille, mais vous avez pris la bonne direction. Continuez à foncer dans le sens de gravitation tout en vous rapprochant progressivement de la Terre.

Les vibrations des réacteurs emplissaient la cabine d'un bruit de tonnerre. Jâ sauta sur le plancher et prit Nira étourdie dans ses bras.

– Laisse-moi faire, lui dit-il. Je vais t'attacher à cette poutrelle. Nous allons certainement en voir de dures.

Il assujettit solidement Nira par des sangles et remonta sur l'épaule du garde. Il s'attacha lui-même au cou de celui-ci. Cette situation aurait été désagréable si l'attention de Jâ n'avait été accaparée par le tragique des événements, car le visage du géant ruisselait de sueur.

Un énorme bolide passa à quelques kilomètres, tombant vers la Terre. La fusée pirouetta au hasard, secouant durement ses occupants. Les sangles qui solidarisaient Jâ au pilote glissèrent. Le jeune homme se retrouva accroché sur la poitrine du garde. Il décida d'y rester.

– Obliquez de deux degrés à gauche, hurla-t-il. Nous allons sortir de ce cercle infernal.

– Mais nous nous éloignons de la Terre, dit le pilote.

– Oui, tans pis ! Éloignons-nous du cataclysme, nous allons rester assez longtemps dans l'espace en attendant que la situation soit plus calme.

Après avoir frôlé la catastrophe à de nombreuses reprises, la fusée passa la zone dangereuse où les météorites rendaient la navigation presque impossible.

Loin, loin, derrière la Terre, elle resta suspendue dans le vide pendant des jours et des jours. On fut obligé de se séparer de la dépouille de Terol qui empuantissait l'atmosphère. Les trois rescapés de la

Lune s'étaient perdus en conjectures sur la cause du cataclysme. Nira était restée longtemps prostrée, profondément bouleversée par la fin de sa planète natale. Jâ l'avait entourée d'attentions, essayant de lui faire oublier le deuil terrible de cent millions de Lunaires.

Quant à l'ancien garde, il avait fait cause commune avec ses deux petits compagnons. Une solidarité complète les avait unis dans les dures épreuves subies. Une hostilité quelconque n'aurait plus rien signifié.

D'autres émotions leur étaient réservées. Ils virent de gigantesques bolides percuter la Terre. Ils suivirent à l'œil nu les bouleversements fantastiques de l'aspect de cette planète : disparition de continents entiers, naissance d'îles inconnues.

La moitié sud de l'Afrique fut submergée par l'avance rapide d'une immense tache grise : sans doute un titanesque raz de marée. Ce fut au tour de Jâ de pleurer sa mère et tous ses amis. Puis on vit, jour après jour, la Terre basculer lentement sur l'ancien axe et, déséquilibrée par une nouvelle répartition des masses continentales et océanes, chercher un autre mode de rotation sur elle-même. Le continent antarctique se trouva remonté jusqu'aux tropiques, tandis que le golfe du Mexique se couvrait de glaces polaires, ainsi qu'une partie de l'océan Indien.

Un anneau lumineux formé de débris lunaires échauffés par leur vitesse encercla la Terre, l'assimilant à Saturne.

Enfin tout parut se stabiliser. Jâ demanda au pilote de remettre le cap sur la Terre, en passant par le nord, pour éviter la zone dangereuse de l'anneau. La fusée mit une semaine à atteindre les premières couches de l'atmosphère. Elle survola la mer déchaînée qui recouvrait la patrie de Jâ Benal et remonta vers le nord pour trouver un point d'atterrissage.

Émergeant de la tempête, on aperçut enfin la chaîne de l'Atlas. La fusée descendit lentement, passa l'amoncellement de nuages d'un orage ahurissant de violence et se posa sur une colline non loin de la ville d'Alge sous une pluie diluvienne.

– Enfin, dit Jâ, enfin la bonne vieille Terre, mais défigurée, méconnaissable.

Il colla son visage au hublot, cherchant à percer l'épais rideau gris des trombes d'eau venues du ciel.

– C'est effrayant, dit-il, on n'y voit rien.

Nira, n'ayant jamais connu de pluies ni d'orages tremblait de tous ses membres dans un coin de la cabine.

– C'est ça, la Terre ? articula-t-elle faiblement.

– Non ce n'est pas ça, hurla le garde. C'est ça et ce n'est pas ça, c'est...

Il éclata de rire.

– Avez-vous déjà vu une Terre sans Lune, hein ? Avez-vous déjà vu ça, une Terre sans Lune, non ? Eh bien moi non plus ; je...

Il se mit à pleurer à gros sanglots ridicules. Jâ jeta un bref regard à Nira.

– Allons, mon vieux, dit-il, calmez-vous.

Le géant sursauta.

– Ah oui ! gronda-t-il, me calmer, hein ? Je suis fou, sans doute ? Ose donc me dire que je suis fou ?

Menaçant, il avança sur les jeunes gens qui reculaient lentement vers le fond de la cabine. Jâ chercha des yeux une arme. Le fou comprit sa pensée.

– Tu veux me descendre, sale nabot ! C'est moi qui vais vous écrabouiller ; c'est moi le maître, vous entendez ? Le maître des sales nabots comme vous.

Il bondit à pieds joints sur le couple. Ils n'eurent que le temps de s'écarter à droite et à gauche. La brute démente fit volte-face et, les membres écartés, prêts à l'attaque, marcha sur ses victimes. Ses yeux luisaient, un rictus découvrait ses dents jaunes.

Jâ appuya ses mains à la cloison derrière lui et un frisson d'espoir le parcourut. Il sentait sous ses doigts la forme d'un désintégrateur. Il ramena l'arme devant lui et menaça le garde.

– Je ne désire pas tirer, mon vieux, dit-il. Mais ne m'y forcez pas.

La garde bondit dans sa direction. Jâ appuya sur la gâchette et le géant tomba lourdement sur le sol, la moitié du visage emportée.

– Pauvre type ! dit Jâ. Sa raison n'a pas tenu le coup.

35

La fusée resta perchée trois jours sur la colline. La pluie tombait toujours. Jâ réussit à ouvrir les portes du sas mais jugea imprudent de se risquer au-dehors. La violence de l'orage était telle qu'il aurait été plaqué au sol et entraîné par l'eau qui ruisselait en torrents arrachant des touffes d'herbe et des mottes de terre au passage. Jâ se demanda si sa vision des choses n'était pas déformée par sa taille réduite. Il conclut que non. L'orage était vraiment exceptionnel, il aurait gêné des hommes normaux, à plus forte raison des nains comme Nira et lui.

Il s'étonna que personne d'Alge ne soit encore venu se rendre compte de l'origine de sa fusée. Il supposa que les populations étaient encore sous le choc des événements terribles qu'elles avaient supportés. Des gens devaient se terrer chez eux, d'autres courir à demi fous par les rues de la ville. Tout était sans doute désorganisé, on n'avait peut-être même pas remarqué l'arrivée de la fusée.

Enfin, l'orage cessa. Une brise tiède nettoya le ciel des derniers nuages, le soleil brilla sur la campagne mouillée et sur la ville dont on distinguait les reliefs à l'horizon surmonté d'un arc-en-ciel magnifique, tel un symbole de renouveau, l'annonce qu'une nouvelle ère de tranquillité et de bonheur s'ouvrait pour les hommes.

Se tenant par la main, Jâ et Nira restèrent longtemps immobiles à la porte du sas, contemplant un spectacle que Nira n'avait jamais connu et que Jâ retrouvait avec émotion.

– C'est magnifique, dit Nira. On dirait un éden gigantesque !

– C'est un éden, ma chérie. Un éden où nous allons vivre pour toujours. Oublions toutes les horreurs dont nous avons été témoins. Tournons la première page d'une vie de bonheur.

Il aida la jeune femme à sortir de la fusée. Ils descendirent la colline, se dirigeant vers les huit routes métalliques qui, rigoureusement parallèles, serpentaient au pied de la colline, en direction d'Alge.

Nira s'émerveillait de tout ce qu'elle voyait. Des vergers bordaient la route. Le sol était doré par les oranges tombées des branches. Quelques arbres déracinés par la récente tempête ne réussissaient pas à gâter le paysage.

A l'orée d'un bois de cèdres, une ligne bleue se montra à l'horizon. Les immenses dômes bariolés d'Alge moutonnaient en contrebas jusqu'à la mer. Nira était trop surprise par tout ce qu'elle découvrait pour s'extérioriser autrement que par des « oh ! » et des « ah » et par de brèves curiosités que Jâ s'empressait de satisfaire, heureux de lui faire les honneurs de sa planète.

Cependant, à mesure qu'ils avançaient, une sourde inquiétude, une impression de malheur pénétrait Benal. Il s'aperçut que ce malaise était dû au silence total qui régnait sur la grande cité. Il connaissait bien Alge. Étant enfant, il y avait vécu cinq ans. Il en avait gardé le souvenir d'une vie assez bruyante. Or, pas un son ne s'élevait, on n'entendait que le murmure lointain de la mer.

Ils s'engagèrent dans les premières avenues. Tout était désert.

Nira fronça le nez.

– Quelle odeur désagréable ! dit-elle.

La mine de Jâ devint grave, il entraîna Nira plus loin. Ils débouchèrent sur une vaste place où l'odeur était intenable sous le soleil ardent. Des cadavres s'entassaient partout, butinés par des nuages de mouches. Pénétrant plus loin au cœur de la ville, ils rencontrèrent partout des grappes de morts. Ils entrèrent dans les maisons : même spectacle macabre.

– C'est épouvantable, dit Jâ ; quittons cette ville au plus tôt.

– De quoi sont-ils morts ? murmura Nira.

– Sait-on ? La Terre a été bouleversée par des phénomènes extraordinaires, presque impensables. Ce qui a donné lieu à des conséquences imprévisibles. Peut-être sont-ils morts d'embolie, de peur, d'asphyxie. Des vides se sont peut-être produits dans l'atmosphère, d'une façon passagère, ou des excès de pression. On peut tout imaginer. Si Kam était là, il pourrait peut-être nous le dire en examinant les victimes. Mais nous ne sommes pas médecins. Viens, cherchons un hélic en état de marche et filons d'ici.

– Un hélic ?

– C'est, comment dirais-je ? une espèce d'antigé terrienne.

Ils n'eurent pas trop de mal à dénicher un appareil sur la terrasse d'une maison vide. Leur petite taille leur donna bien du mal pour effectuer les actions les plus banales. Jâ fut obligé de travailler plusieurs jours dans un petit atelier pour mettre au point un mécanisme permettant à un homme de dix centimètres de haut de piloter un hélic géant.

Jâ vérifia l'état de la pile atomique et fut rassuré. L'appareil pouvait fonctionner encore deux ans sans recharge.

Ils quittèrent Alge et visitèrent les unes après les autres toutes les villes importantes de l'Europe et de l'Afrique. Certaines étaient intactes, mais toujours bourrées de cadavres. Des séismes avaient bouleversé les autres. Certaines avaient entièrement disparu ; à leur place, ils ne trouvèrent que des champs immenses de grumeaux vitrifiés par une chaleur intense, venue Dieu sait d'où.

Ils survolèrent la nouvelle banquise polaire qui figeait le golfe du Mexique, explorèrent sans trouver une seule vie humaine les deux Amériques. Le Canada avait été écrasé sous d'énormes quartiers de Lune.

Ils s'envolèrent vers l'Asie immense, mais vide d'hommes. Chose étrange, tous les animaux ayant une taille inférieure en moyenne à vingt centimères avaient été épargnés. Ils ne trouvèrent pas un seul tigre, un seul cheval, un seul éléphant vivant. En revanche, les rats, les petits oiseaux, les insectes étaient légion. La végétation avait peu souffert.

– Il faut nous faire à l'idée que nous sommes les seuls survivants, disait tristement Jâ. Cherchons une terre hospitalière, particulièrement favorable à notre installation définitive. As-tu entendu parler de l'Océanie ?

– Ce sont des îles, je crois ?

– Oui, des îles merveilleuses, aux paysages magnifiques. Si j'en juge d'après la façon dont la Terre a basculé, leur climat idéal n'a pas dû changer.

36

Ils mirent le cap sur Tahiti l'heureuse, située au milieu du Pacifique. L'espoir de Jâ ne fut pas déçu. L'île n'avait pas changé. L'ardeur du soleil était toujours tempérée par la brise du large qui chantait dans les palmes. Les vagues bleues léchaient interminablement les plages dorées. Les monts orgueilleux se découpaient sur l'azur du ciel.

Évitant les villes malheureusement infestées de rats gorgés de cadavres, ils élurent domicile dans une petite vallée, à mi-hauteur entre mer et montagne. Une petite rivière coupée de cascades et de lacs miniatures chantait à proximité au fond d'un jardin naturel éclatant de bougainvilliers. Jâ découvrit une grotte à leur taille et en cerna l'entrée par des pieux acérés et un fossé semi-circulaire.

En effet, mille dangers étaient à craindre. Le petit couple se trouvait dans les mêmes conditions de vie qu'au temps de la lointaine préhistoire. Un simple rat était pour eux un fauve redoutable, et, la plupart des insectes : des ennemis à abattre sans pitié.

Au début, ils furent obligés de se servir de leurs désintégrateurs pour parer aux dangers immédiats. Mais il fallut prévoir le moment où ceux-ci deviendraient hors d'usage. Jâ s'habitua à se débrouiller avec des armes qu'il pouvait fabriquer lui-même.

Naviguant sur la moitié évidée d'une noix de coprah, il restait des heures à guetter l'approche de poissons gros comme lui, qu'il harponnait avec des éclats de bois durcis au feu. Il dut un jour soutenir un combat acharné contre un crabe. Sautant de part et d'autre de la bête pour éviter les pinces meurtrières qui l'auraient coupé en deux, il réussit à le renverser sur le dos à l'aide d'un simple morceau de fil de fer comme levier. Ce jour-là, ils eurent de la viande pour une semaine.

Leur petite taille avait aussi ses avantages, en ce sens que le moindre fruit ou le moindre coquillage suffisait à assouvir leur faim. Les coquillages, notamment, servaient à toutes sortes d'usages ; ils se constituèrent une rudimentaire vaisselle avec les écailles. Les grands pouvaient presque servir de baignoires. Brisés, on en tirait des armes ou des outils.

Ils avaient depuis longtemps jeté leurs maillots, inutiles sur la Terre. Leur peau prit une belle teinte dorée.

Nira s'amusait follement à fabriquer des pagnes d'herbe et des couronnes de fleurs minuscules. Quelquefois, à sa grande joie, un immense papillon se perchait sur son épaule.

A l'aide de minces fils métalliques ravis à l'appareillage électrique de l'hélic géant, Jâ confectionna un filet qu'il tendait le soir à l'entrée de la caverne. Ils restaient alors des heures, avant de s'endormir, à contempler la nuit barrée d'un immense arc lumineux, tendu entre la mer et les collines. Ils avaient du mal à admettre que cette chose était un mélange chaotique de tout ce qu'ils avaient connu sur la Lune.

Un jour, Jâ surprit Nira à tapisser d'herbes sèches un coquillage ovale.

– Que fais-tu donc ? demanda-t-il.

– J'essaie de voir ce que ça peut donner comme berceau, avoua Nira toute rouge.

– Pourquoi ? Tu crois que...

Nira inclina la tête affirmativement. Alors Jâ la serra dans ses bras. Il se sentit fort, plein de projets heureux.

– Adam et Ève..., rêva-t-il. Nos enfants peupleront l'île, nos arrière-petits-enfants se répandront dans l'archipel, puis couvriront la Terre entière. Une race de petits hommes intelligents et courageux va reconquérir la nature. Et tout cela viendra de nous deux.

Achevé d'imprimer
en septembre 1993
sur les presses de
l'Imprimerie Hérissey
à Évreux (Eure)

Loi n° 49-956 du 16 juillet 1949
sur les publications destinées à la jeunesse

N° d'imprimeur : 62024
Dépôt légal : septembre 1993
ISBN 2-07-058270-1
Imprimé en France

65845